LA RELATION D'AIDE AU QUOTIDIEN

Développer des compétences pour mieux aider

Catalogage avant publication de la Bibliothèque nationale du Canada

Tremblay, Luc, 1945-

Relation d'aide au quotidien : développer des compétences pour mieux aider

Comprend des réf. bibliogr. et un index.

ISBN 10 : 2-89035-339-7

ISBN 13 : 978-2-89035-339-8

1. Counseling. 2. Services personnels aux étudiants. 3. Counseling – Santé mentale. 4. Conseillers – Formation en cours d'emploi. 5. Éducateurs spécialisés – Formation en cours d'emploi. 6. Counseling – Problèmes et exercices. I. Titre.

BF637.C6T73 2000 158'.3 C00-941051-1

Canada

Les Éditions Saint-Martin bénéficient de l'aide de la SODEC pour l'ensemble de leur programme de publication et de promotion.
Les Éditions Saint-Martin sont reconnaissantes de l'aide financière qu'elles reçoivent du gouvernement du Canada qui, par l'entremise de son Programme d'aide au développement de l'industrie de l'édition, soutient l'ensemble de ses activités d'édition.

Édition : Vivianne Moreau

Chargée de projet pour le CCDMD : Marie-Andrée Gaboury

Chargé de projet pour le Collège : Denis Thibault

Révision linguistique : Geneviève Gagné

Révision scientifique : Jocelyne Desbiens et Gilles Cyr

Illustration en page couverture : *Œuvre* de Yves Lahey

Dépot légal: Bibliothèque nationale du Québec, 3e trimestre 2000

2e réimpression, 3e trimestre 2006

ÉDITIONS
SAINT-MARTIN

5000, rue Iberville, bureau 203
Montréal (Québec) H2H 2S6
tél. : 514-529-0920
téléc. : 514-529-8384
st-martin@qc.aira.com
www.editions-saintmartin.com
Membre de Coopsco

Luc Tremblay

LA RELATION D'AIDE AU QUOTIDIEN

Développer des compétences pour mieux aider

Introduction

Le contact humain fait partie de la pratique quotidienne de la plupart des intervenants des services de santé et des services sociaux puisque ces professionnels rencontrent des gens de tous âges et de toutes conditions.

Pour offrir leurs services, ils doivent posséder des capacités d'écoute et entrer en contact facilement avec les différentes clientèles; ils doivent s'adapter rapidement et faire preuve de jugement et de discernement pour bien saisir les besoins de ces personnes. Leur personnalité joue ainsi un rôle majeur dans leur travail; c'est en quelque sorte l'outil principal de leur réussite. C'est cet outil qui leur sert à établir un bon contact avec les gens et à gagner leur confiance.

Cependant, la personnalité ne fait pas foi de tout! Certaines personnes, qui possèdent des atouts naturels pour entrer en contact, se faire écouter et aussi être à l'écoute de leurs semblables, ont une oreille si attentive qu'elles se donnent sans compter. Pour écouter et aider de façon efficace des personnes en difficulté, la bonne volonté malheureusement ne suffit pas! Une bonne connaissance de soi devient essentielle pour utiliser de façon maximale ses forces et tenir compte de ses limites. En outre, la connaissance d'une démarche d'aide, d'un processus à suivre doit orienter le travail pour faciliter l'atteinte des objectifs. Ainsi, l'utilisation de techniques d'écoute, d'observation, de rétroaction et de solution de problème viennent appuyer les connaissances et les habiletés de base et aider les intervenants.

Le but de cet ouvrage sur la relation d'aide vise justement à mieux outiller les éducateurs et éducatrices spécialisés afin qu'ils offrent des services de meilleure qualité et qu'ils trouvent une plus grande satisfaction à accomplir leur métier.

Ces professionnels offrent des services à des personnes de tous âges qui vivent des difficultés temporaires ou permanentes. Ils les aident à mieux faire face à leur quotidien, à faire de nouveaux apprentissages, à se réhabiliter à la suite d'un accident, d'une maladie, à prendre une place qui leur convient dans la communauté. Pour accomplir leur travail, ils doivent posséder une multitude de connaissances en psychologie, sociologie, animation, intervention, etc., ainsi que de nombreuses habiletés sur les plans de la communication, de l'observation, de la planification, de l'animation, de l'intervention, de la relation d'aide, etc.

Leur formation en relation d'aide doit les amener à être capables d'établir un lien de confiance et à adopter des attitudes qui favorisent le maintien de cette relation; elle doit également les amener à développer des compétences qui feront d'eux des aidants efficaces.

Comme les éducateurs et éducatrices spécialisés pratiquent la relation d'aide dans un contexte particulier, cet ouvrage présente d'abord, dans la première partie, le contexte qui leur est propre. On y définit aussi la relation d'aide en tenant compte des particularités de leur travail. Comme on ne peut passer sous silence l'importance de bien se connaître pour être à l'aise en relation d'aide, on aborde aussi cet aspect en donnant des moyens pour améliorer la connaissance de soi. Une autre partie présente un processus d'aide adapté au contexte de travail des éducateurs et éducatrices spécialisés; ce processus se veut assez souple pour convenir aux différentes situations qu'ils rencontrent.

La deuxième partie, qui représente l'essentiel de cet ouvrage, propose ensuite des pistes de réflexion et des exercices pour développer les compétences essentielles en relation d'aide : créer un lien de confiance, écouter et observer, démontrer de la compréhension empathique, faire spécifier le problème d'une personne, la confronter à sa réalité et l'amener à trouver des solutions à ses difficultés.

La troisième partie, elle, est consacrée à des situations qui atteignent un haut degré de difficulté et demandent des compétences plus pointues; ce sont, en particulier, les demandes d'aide de personnes en situations de crise, celles impliquant des personnes ayant des comportements violents, une fragilité mentale, un handicap intellectuel ou une maladie dégénérative comme l'Alzheimer. On y retrouve une méthode d'intervention pour faire face aux situations de crise.

Première partie

Contexte et principes de la relation d'aide

Contexte et principes de la relation d'aide

De nombreux professionnels pratiquent la relation d'aide dans le cadre de leur travail, qu'il s'agisse des psychologues, des travailleurs sociaux, des psychiatres, des omnipraticiens, des éducateurs et éducatrices spécialisés, etc. Pour la plupart d'entre eux, la relation d'aide se déroule à l'intérieur des quatre murs de leur bureau et dure de quelques minutes à deux heures tout au plus.

Leur intervention prend place dans un contexte qu'ils contrôlent bien, sur leur propre terrain, dans un milieu presque aseptisé. La démarche d'aide qu'ils suivent peut être très structurée, en lien avec une approche psychothérapeutique reconnue (rogérienne, psychanalytique, gestaltiste, etc.).

Les éducateurs et éducatrices spécialisés font, pour leur part, un peu exception à cette règle : leur intervention d'aide n'est pas effectuée dans une période de temps bien déterminée et leur lieu d'intervention est vaste et composé de plusieurs facettes, un peu à l'image des milieux variés des personnes auxquelles ils donnent des services. Ils peuvent intervenir au domicile, dans un foyer de transition, dans un centre de soins de longue durée, dans un lieu de travail, etc. En fait, ils rejoignent les personnes dans les différentes activités de leur vie quotidienne et c'est dans ce contexte que la relation d'aide s'inscrit.

Pour préparer des éducateurs et des éducatrices à la pratique de la relation d'aide, il est donc important de définir d'abord ce contexte particulier dans lequel ils auront à intervenir en faisant un portrait sommaire de leur clientèle, en définissant leurs rôles et tâches et en précisant la place qu'occupe la relation d'aide dans ce contexte.

Une fois ces bases bien établies, nous présenterons trois types de relation d'aide, mais nous nous attarderons davantage à la relation d'aide éducative et à ses limites. Nous verrons ensuite en quoi il est important d'effectuer une démarche de connaissance de soi quand on désire offrir des services de relation d'aide et nous présenterons une démarche adaptée aux exigences du travail des éducateurs et éducatrices spécialisés. Dans la dernière partie, il sera question d'un processus d'aide en six étapes.

1.1 – CONTEXTE D'INTERVENTION DES ÉDUCATEURS ET ÉDUCATRICES SPÉCIALISÉS

Les éducateurs et éducatrices spécialisés (aussi appelés techniciens en éducation spécialisée ou T.E.S.) ont comme rôle principal d'accompagner dans leur quotidien, des personnes ayant besoin d'aide, de soutien pour accomplir leurs activités régulières parce qu'elles vivent des difficultés d'adaptation.

Les problèmes d'adaptation sont multiples et complexes. Nous en verrons quelques exemples. Les éducateurs et éducatrices sont formés pour comprendre ce que vivent les gens et pour les aider à améliorer leur qualité de vie, à apprendre à vivre avec leur handicap ou à essayer de résoudre leurs difficultés. Nous verrons quels sont leurs différents rôles et les tâches qu'ils accomplissent. Leur approche doit tendre à respecter une certaine philosophie de « non prise en charge » de la personne aidée, que nous définirons. Ils auront à travailler dans les milieux les plus divers tout en se pliant à certaines lois et à un code d'éthique qui témoignera de leur professionnalisme, dont nous présenterons les grands traits.

Portrait de la clientèle

Pour comprendre les difficultés d'adaptation que vivent certaines personnes, il est important de se pencher d'abord sur le phénomène de l'adaptation. L'adaptation[1] est un phénomène complexe. C'est en quelque sorte arriver à se débrouiller seul, avec ou sans l'appui des autres, arriver à composer avec les exigences de la réalité quotidienne, réussir à répondre à ses besoins de façon satisfaisante, trouver un bon équilibre personnel. L'adaptation touche donc les différentes facultés d'une personne, qu'il s'agisse de ses facultés physiques, affectives, sociales, intellectuelles ou morales.

Ainsi, l'apparition de la maladie d'Alzheimer, chez une personne âgée qui devient moins autonome pour se déplacer, pour répondre à ses besoins de base (se laver, manger) demande une adaptation. Un jeune adulte aux prises avec la

[1] Voir Monique Tremblay. *L'Adaptation humaine*, Montréal, Éditions Saint-Martin, 1992, 400 p.

schizophrénie qui se voit contraint d'arrêter ses études universitaires parce qu'il rencontre des problèmes de concentration ou que sa maladie l'oblige à prendre une forte médication qui le rend amorphe, peut rencontrer différentes difficultés d'adaptation.

De même des personnes qui, à la suite d'un accident de voiture, deviennent handicapées physiquement (hémiplégie, paraplégie, traumatisme crânien, etc.) et doivent apprendre à redevenir autonomes en s'adaptant à leur handicap. Un jeune enfant atteint d'autisme qui ne se développe pas normalement a besoin de stimulation et d'un encadrement particulier pour acquérir de l'autonomie. Un jeune adolescent qui vit des problèmes dans sa famille et qui est placé dans un centre ou une famille d'accueil, ou bien dans une maison d'hébergement pour jeunes en difficulté, aura des adaptations à vivre.

La plupart des difficultés d'adaptation n'apparaissent pas subitement, du jour au lendemain. Elles s'installent plutôt progressivement; il est donc possible, si on y prête vraiment attention, d'intervenir précocement afin de prévenir leur aggravation. Il faut bien sûr être conscients que certaines difficultés, liées à un handicap, ne peuvent être complètement résorbées. D'autres, par contre, peuvent diminuer d'intensité et être complètement réglées par le biais d'un programme de réadaptation.

Voici quelques portraits de personnes vivant diverses difficultés d'adaptation, avec lesquelles les éducateurs et éducatrices sont susceptibles de travailler dans le but de les aider à améliorer leurs conditions de vie.

Marie-Josée est née avec un handicap intellectuel, le mongolisme (syndrome de Down). Physiquement, elle présente des traits particuliers qui la distinguent des autres enfants (au niveau du visage et des yeux en particulier); de ce fait, elle est hors-norme au point de départ. Son développement physique et intellectuel s'est fait plus lentement que celui des autres; elle a eu besoin de plus de stimulation et son rendement a accusé un retard par rapport à celui des enfants de son âge.

Arrivée à l'âge scolaire, elle a de la difficulté à suivre le rythme d'apprentissage des autres enfants. Même intégrée à une classe régulière, son intégration n'est jamais vraiment complète et une distance s'installe progressivement entre elle et les autres enfants; elle ne peut pas suivre le même rythme qu'eux.

Maintenant adulte, elle fréquente un milieu de travail protégé. Son insertion dans le marché du travail régulier est toujours possible mais elle aura besoin d'aide pour y parvenir et s'y maintenir.

Pour Marie-Josée, l'adaptation est rendue difficile en raison de son handicap; pourtant, si la société se montre plus ouverte et facilite son intégration, elle pourra trouver sa place et y être bien.

Jeanne est retraitée depuis 10 ans. Mère de trois enfants, elle est maintenant grand-mère et passe beaucoup de temps à s'occuper de ses petits-enfants. Depuis quelques mois, elle a de la difficulté à retrouver les noms de ses proches, elle confond les jours de la semaine, elle oublie des rendez-vous, etc. C'est bien connu que des problèmes de mémoire à court terme apparaissent avec l'âge. Cependant, à 65 ans, les problèmes de Jeanne sont beaucoup trop fréquents et accentués pour qu'il s'agisse uniquement de l'âge.

Les membres de sa famille commencent à s'inquiéter de son état; sa perte d'autonomie est beaucoup trop rapide. Ils demandent conseil à une personne du CLSC. Le diagnostic est posé: Jeanne présente quelques signes du début de la maladie d'Alzheimer. Son état ira en se détériorant et elle aura besoin, éventuellement, d'aide pour répondre à ses besoins de base; les membres de sa famille pourront aussi avoir besoin d'aide pour prendre du répit.

Mathieu présente des troubles de comportement à l'école: agitation, manque de concentration, non-respect des consignes en classe. Par moments, il s'en prend agressivement à d'autres élèves et se retrouve au bureau du directeur. On a avisé ses parents de la situation, mais ils ne semblent pas être préoccupés par ce qui se passe.

On a aménagé un local particulier à l'école pour recevoir les élèves turbulents afin qu'ils ne traînent pas dans les corridors. Mathieu s'y retrouve de façon régulière et y est accompagné pour faire ses travaux scolaires. Comme la collaboration des parents ne semble pas acquise, les intervenants de l'école entreprendront des démarches auprès d'eux afin de comprendre les difficultés de Mathieu et de pouvoir l'aider de façon plus efficace.

Pierre est maintenant âgé de 30 ans; il vit avec ses parents dans un petit village à la campagne. Il sort très peu et n'a pas de vrais amis. Ses contacts sociaux sont donc très limités, en dehors de sa famille. Il ne travaille pas et fréquente, à l'occasion, un centre de jour.

Depuis la fin de l'adolescence, il est affecté par un trouble mental sévère: la schizophrénie. Il a fait quelques séjours à l'hôpital et il a dû interrompre son cheminement scolaire. Actuellement, il manifeste le désir de sortir davantage de chez lui et de faire des activités socioculturelles. Il arrive difficilement à s'affirmer, particulièrement en présence de sa mère, qui exerce un fort contrôle sur ses allées et venues. Le lien de dépendance est tissé serré entre eux et Pierre étouffe de plus en plus dans cette relation.

Au centre de jour, les éducateurs et les éducatrices appuient sa volonté d'émancipation; ils lui offrent des activités d'affirmation de soi et il peut profiter d'un suivi individuel, s'il le désire. La présence d'un trouble mental n'est pas un handicap majeur qui peut l'empêcher de se développer sur le plan personnel; il est capable de faire des apprentissages afin d'augmenter son niveau d'autonomie.

Rôles et tâches des éducateurs spécialisés

Les éducateurs et éducatrices spécialisés jouent plusieurs rôles auprès des personnes vivant des difficultés d'adaptation. Ils pourront être des accompagnateurs (rendez-vous, sorties, etc.), des préposés aux soins de base (alimentation, hygiène corporelle), des superviseurs de programmes de réadaptation, des confidents, des animateurs d'activités socioculturelles ou sportives, etc.

Ils peuvent, à l'occasion, partager certains de ces rôles avec d'autres intervenants (ergothérapeutes, techniciens en loisirs); dans certains milieux de travail, de type surtout communautaire, les rôles ne sont pas clairement définis et les éducateurs et éducatrices accomplissent sensiblement les mêmes tâches que d'autres professionnels de disciplines différentes.

Selon l'analyse la plus récente de la situation de travail des éducateurs et éducatrices spécialisés faite par le ministère de l'Éducation[2], les tâches les plus fréquemment effectuées par ces derniers sont les suivantes :

1) Intervenir auprès des personnes en difficulté d'adaptation
2) Intervenir auprès des personnes en situation de crise
3) Intervenir auprès des personnes en processus de réadaptation
4) Élaborer ou participer à l'élaboration du plan d'intervention
5) Soutenir une personne en processus d'intégration ou de réinsertion sociale
6) Effectuer des activités liées à la planification du travail
7) Élaborer des projets d'activités spéciaux

Philosophie d'intervention

Parmi les rôles que remplissent les éducateurs et éducatrices, celui d'accompagnateur est certes celui qui occupe une plus grande place. L'accompagnement peut prendre différentes formes, selon les difficultés rencontrées par les personnes et le milieu dans lequel les services sont rendus. De façon générale, accompagner veut dire être présent auprès d'une personne, lui donner les soins et le soutien psychologique nécessaires pour qu'elle réussisse à résoudre ses difficultés et à se donner une meilleure qualité de vie.

2 POULIOT, Jean-François *et al. Techniques d'éducation spécialisée : Rapport d'analyse de situation de travail*, ministère de l'Éducation, Direction générale de la formation professionnelle et technique, Québec, 1999, p. 27.

Une des conditions essentielles pour remplir ce rôle est d'arriver à créer un lien de confiance avec la personne, et son entourage si nécessaire; c'est à travers ce lien que les éducateurs et éducatrices font leur travail d'intervention, qu'ils posent des gestes afin de connaître la personne et de l'amener à changer ses comportements ou à prendre de nouvelles décisions pour orienter sa vie.

« Intervenir » ne veut pas dire « faire les choses à la place de l'autre » ou « le prendre en charge ». Cela signifie plutôt poser des gestes réfléchis visant à soutenir une personne dans sa démarche de réadaptation ou de réinsertion sociale. Ainsi, la plupart des interventions, qu'il s'agisse d'un geste banal (ex. : faire la vaisselle avec quelqu'un) ou de l'application d'un programme de réadaptation sophistiqué (ex. : faire l'apprentissage d'habiletés sociales), doivent être orientées vers un but d'adaptation, d'émancipation de la personne.

Le but habituellement poursuivi par les éducateurs et éducatrices est d'amener une personne à acquérir un plus grand degré d'autonomie, c'est-à-dire de faire en sorte qu'elle se débrouille davantage par elle-même, sur tous les plans (physique, intellectuel, affectif, social et moral). Ainsi, avec une personne ayant un handicap intellectuel (ex. : mongolisme), ils pourront mettre en place, avec la collaboration des parents, un programme de stimulation précoce afin de développer au maximum, en bas âge, le potentiel de l'enfant.

L'autonomie est bien sûr un concept, une vision de l'esprit qui peut couvrir une réalité très vaste; pour pouvoir améliorer l'autonomie d'une personne, les éducateurs et éducatrices doivent être en mesure d'ancrer ce concept dans la réalité, de le définir, de lui donner des balises adaptées à la personne aidée. Ainsi, il faudra préciser ce qu'on entend quand on parle « d'autonomie affective », « d'autonomie dans les activités de la vie quotidienne », « d'autonomie sociale », etc. Les habiletés requises pour s'occuper de son logement, cuisiner, établir un budget, etc., ne sont pas les mêmes que celles requises pour accomplir un travail rémunéré ou poursuivre des études. Pourtant, toutes ces activités requièrent de l'autonomie, à divers degrés.

L'éducateur ou l'éducatrice doit donc bien définir sa cible d'intervention dans le quotidien de la personne s'il veut que son travail soit efficace. Il le fera grâce à l'observation de la personne, à la connaissance de ses forces, des difficultés qu'elle rencontre et de ses besoins. En définissant bien les besoins, en collaboration avec la personne concernée et les autres intervenants, on voit vite apparaître les buts immédiats et la planification du travail d'adaptation, d'acquisition d'autonomie, devient alors possible.

MILIEUX DE TRAVAIL

Traditionnellement, les éducateurs et éducatrices spécialisés ont œuvré dans des milieux dits « fermés » (centres de réadaptation, centres d'accueil), aussi appelés des « institutions ». Depuis le début du mouvement de « désinstitutionnalisation », dans les années 70, les gens ont graduellement quitté ces lieux pour retourner vivre dans leur milieu naturel, une famille d'accueil ou un foyer de groupe.

Les éducateurs et éducatrices spécialisés ont migré avec eux et ont dû s'adapter à ces changements. Environ 75 % d'entre eux travaillent actuellement dans le réseau de la santé et des services sociaux, 10 à 15 % dans le réseau scolaire et 5 à 10 % dans les organismes communautaires. Les établissements du réseau de la santé et des services sociaux où on les trouve principalement sont les suivants : les centres de réadaptation, les centres jeunesse, les centres hospitaliers de soins de longue durée, les centres psychiatriques, les foyers de groupe affiliés à ces centres. Les CLSC, nouvellement reconnus comme une des plus importantes portes d'entrée des services, commencent également à accueillir des éducateurs et des éducatrices.

ENCADREMENT LÉGAL ET ÉTHIQUE

Le travail des éducateurs et des éducatrices est encadré par une série de lois (*voir l'annexe I*) qui définissent les conditions dans lesquelles leur travail doit s'exercer. Ils doivent également respecter une certaine éthique professionnelle commune à plusieurs professions offrant des services d'aide aux personnes.

Les règles éthiques sont en fait des règles de conduite morale qui doivent être respectées par les membres d'une profession. Elles favorisent la qualité des services et le respect des droits des personnes.

Les règles essentielles concernent la compétence des intervenants, la qualité de leurs connaissances et habiletés à offrir des services, le respect de la vie privée et de la confidentialité. Ainsi, pour offrir des services de qualité professionnelle, les éducateurs et éducatrices doivent être formés de façon adéquate, posséder des connaissances précises sur leur clientèle, développer des habiletés et attitudes éducatives.

Parmi les attitudes, connaissances et habiletés nécessaires, ils doivent, entre autres, acquérir une bonne connaissance d'eux-mêmes, démontrer des attitudes éducatives (écoute, respect, authenticité) et développer des habiletés multiples (communication, observation, confrontation).

1.2 – LA PLACE DE LA RELATION D'AIDE

Les éducateurs et éducatrices spécialisés accompagnent des personnes en difficulté dans leurs activités quotidiennes; ils leur apportent un soutien dans leur démarche en vue de résoudre leurs difficultés. L'accompagnement qu'ils offrent peut prendre des formes très variées pouvant aller, par exemple, d'une sortie à l'épicerie au rôle de substitut parental avec tout ce que cela implique. La relation d'aide proprement dite devient un outil parmi d'autres dans le processus d'adaptation qu'ils réalisent avec les personnes aidées.

Nous verrons dans cette partie le rôle central du lien de confiance dans tout processus d'aide. Nous présenterons une définition de la relation d'aide et trois formes de relation d'aide. Nous nous attarderons davantage sur la relation d'aide éducative et ses limites.

Le lien de confiance

L'essentiel du travail des éducateurs et éducatrices spécialisés s'accomplissant dans le cadre d'une relation interpersonnelle, il leur faut d'abord gagner la confiance de la personne à aider. Voilà un défi à relever quotidiennement. Pour y arriver, ils doivent accepter d'être mis à l'épreuve, avoir l'impression d'être manipulés parfois, rencontrer des refus, mais persévérer dans leurs tentatives de rapprochement. Créer un lien de confiance peut être une tâche ardue avec des personnes qui ont vécu des relations humaines pénibles, marquées par la trahison, le rejet, l'instabilité.

Ce lien de confiance qu'ils établissent avec une personne devient la trame de fond de toutes leurs interventions. C'est grâce à la qualité de ce lien que leur travail porte ses fruits, à court ou à long terme; il rend aussi possible la réalisation des rôles et tâches qui leur incombent (**figure 1.1**).

Certaines dispositions vont favoriser l'établissement d'un lien de confiance avec une personne: les affinités peuvent certes jouer un rôle, cependant les attitudes adoptées vont être déterminantes. Une attitude est une manière de se comporter qui correspond à une certaine disposition psychologique.

Les attitudes en cause dans la création d'un lien sont principalement d'être à l'écoute, de faire preuve de respect et d'être authentique.

Être à l'écoute des besoins d'une personne, être attentif à ses états d'âme crée un climat d'ouverture, propice au développement du lien. Il arrive fréquemment qu'une personne ait besoin d'aide ou d'écoute, sans oser l'exprimer directement. En effet, exprimer un besoin d'aide implique que l'on doive reconnaître qu'on ne peut pas se débrouiller seul, régler soi-même ses problèmes, qu'on est incapable de prendre ses responsabilités. Ainsi, une personne peut hésiter longtemps avant de faire part de son besoin, au risque de perdre son équilibre. Il y a là une question de dignité humaine.

De là vient l'importance d'être attentif aux indices, aux signes ou aux messages qu'une personne peut tenter d'envoyer. Un cas bien connu est celui de la personne suicidaire qui envoie des messages indirects, difficiles à décoder, que les gens de son entourage ne perçoivent généralement pas ou auxquels ils ne portent pas attention, mais qui révèlent son besoin d'aide.

Faire preuve de respect et être authentique favorisent également l'établissement du lien de confiance : une personne qui se sent respectée aura tendance à parler d'elle sans crainte et acceptera plus facilement d'être aidée. Une attitude authentique permet de jouer franc jeu et d'établir une relation sur des bases solides.

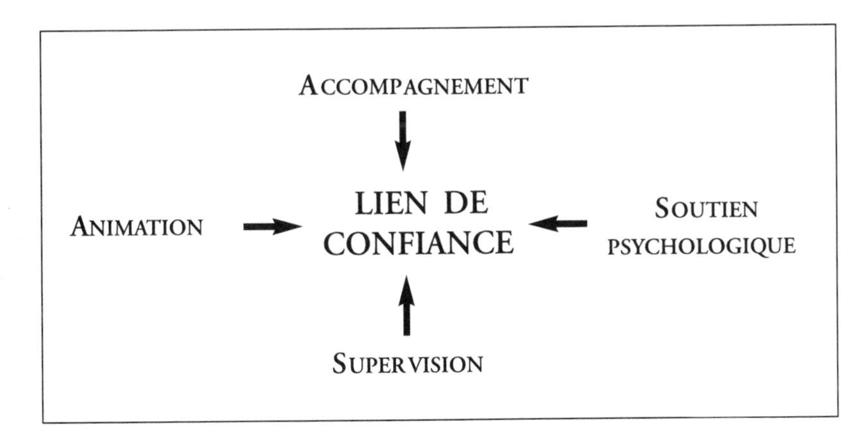

Figure 1.1

Place centrale du lien de confiance dans le travail des T.E.S.

UNE DÉFINITION DE LA RELATION D'AIDE

La relation d'aide est un processus par lequel on amène une personne à faire de nouveaux apprentissages, à poser de nouveaux gestes pour arriver à satisfaire ses besoins ou à résoudre ses difficultés. Voyons en détail les différents éléments de cette définition.

Amener une personne à...

La notion d'accompagnement prend toute son importance dans cette définition : comme intervenants, les éducateurs et éducatrices sont aux côtés de la personne pour la soutenir, la guider, l'aider à prendre conscience de ce qu'elle veut faire de sa vie et à changer ce qu'elle a décidé de changer. « Amener à » écarte la notion de « prise en charge » ou d'agissement à la place de l'autre. Voilà une orientation qui doit teinter l'ensemble du processus d'aide.

Poser de nouveaux gestes...

La créativité, l'innovation, le changement sont mis à contribution dans cette démarche d'aide. La personne doit s'apercevoir que les moyens qu'elle utilise pour s'adapter ne sont plus efficaces, ne répondent plus à ses besoins de façon satisfaisante. Elle doit briser un cercle vicieux, abandonner d'anciens schèmes d'adaptation et les remplacer par de nouveaux. Les éducateurs et éducatrices doivent l'aider à vivre cet abandon et à expérimenter de nouvelles façons de répondre à ses besoins, d'où la nécessité d'être créatif.

Pour arriver à satisfaire ses besoins...

Les besoins des êtres humains sont maintenant bien connus (**figure 1.2**); les réponses à ces besoins vont cependant prendre les formes les plus variées. Ainsi, les problèmes d'adaptation peuvent être liés soit à la mauvaise définition d'un besoin, soit à un besoin mal exprimé ou à un conflit entre plusieurs besoins, soit à l'absence de réponse à un besoin ou à une réponse inadéquate.

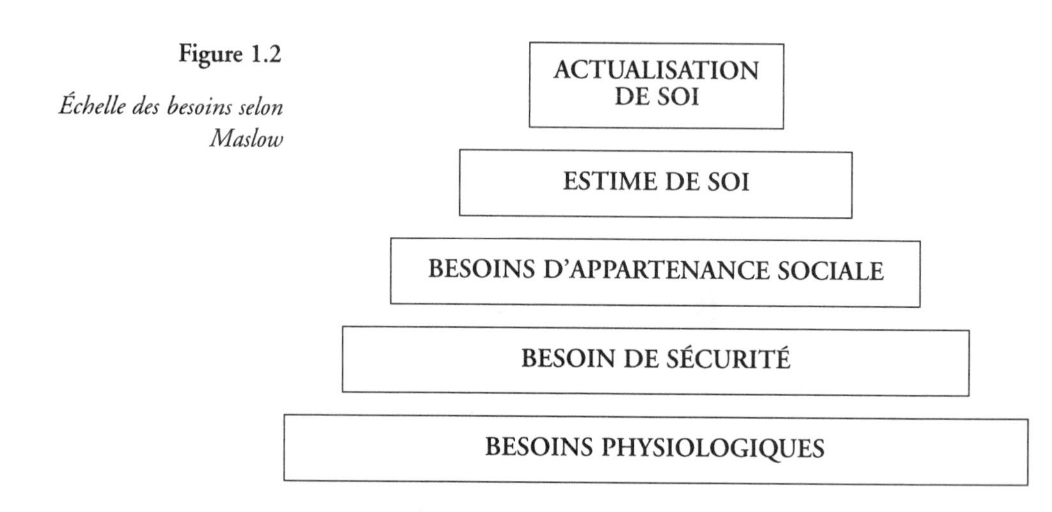

Figure 1.2

Échelle des besoins selon Maslow

Pour aider une personne à poser de nouveaux gestes pour satisfaire ses besoins, on doit tout d'abord l'amener à définir le ou les besoins qui sont en cause et les réponses qu'elle donne à ces besoins; par la suite, on fait avec elle une recherche pour trouver de nouvelles façons de répondre à ses besoins et on l'accompagne dans l'expérimentation de ces nouveaux moyens. Voyons un exemple.

Mathieu est en 3e année du primaire. Depuis quelque temps, il a de la difficulté à se concentrer et il échoue à ses examens. Il commence à être turbulent en classe. Après plusieurs avertissements, son professeur l'expulse et l'envoie au bureau de Michelle, l'éducatrice spécialisée de l'école. Après avoir parlé de longs moments avec Mathieu, Michelle découvre qu'il a des problèmes de sommeil et qu'il ne déjeune jamais le matin. Elle planifie une intervention auprès de Mathieu, de ses parents et de son professeur afin de régulariser son sommeil et de veiller à ce qu'il mange avant de se rendre en classe. Au bout de quelques semaines, ses problèmes de concentration diminuent et son rendement s'améliore.

Dans cet exemple, les difficultés de concentration de Mathieu et ses comportements dérangeants trouvent leur origine dans le fait que certains de ses besoins de base (physiologiques) ne sont pas comblés de façon adéquate. En intervenant à ce niveau, avec la collaboration des parents et de son professeur, l'éducatrice fait en sorte que les problèmes scolaires de Mathieu se résorbent et qu'il retrouve son équilibre d'antan.

Une telle relation d'aide ne peut être efficace sans la collaboration de la personne en difficulté et des membres de son entourage. Cette dernière doit exprimer sa volonté de changer, d'adopter de nouveaux comportements, de ne plus vivre dans les mêmes conditions. Les membres de son entourage doivent accepter d'être impliqués dans sa démarche.

TROIS FORMES DE RELATION D'AIDE

La relation d'aide est pratiquée par plusieurs intervenants de disciplines différentes et aussi par ceux qu'on appelle les « aidants naturels » (parents, amis, bénévoles). Ces personnes possèdent une capacité d'écoute presque innée et se font un plaisir de la mettre à la disposition des autres. L'aide qu'elles apportent est spontanée et non négligeable dans le réseau d'une personne.

Les aidants professionnels, pour leur part, acquièrent, en plus de leur capacité d'écoute naturelle, des techniques et une connaissance d'eux-mêmes qui augmentent l'efficacité de leur intervention, qui est orientée vers un but précis, à court, moyen ou long terme.

Nous pouvons donc distinguer plusieurs formes de relation d'aide selon le but poursuivi; les principales sont les approches thérapeutique, éducative et de soutien. Voyons ces trois formes de relation d'aide.

Relation d'aide thérapeutique

La relation d'aide thérapeutique vise à apporter des changements dans la personnalité d'un individu; elle touche la structure ou la dynamique même de la personnalité. Elle s'intègre à une forme de psychothérapie. Ses formes sont très nombreuses, parmi celles-ci, les plus connues sont la psychanalyse, la bioénergie, l'approche non directive (rogérienne), la thérapie gestaltiste.

Chacune de ces formes de psychothérapie possède ses postulats de base, son vocabulaire propre et ses techniques particulières. Leur efficacité est variable et dépend, en grande partie, de la qualité de la relation que le thérapeute réussit à établir avec son client. Lorsque la confiance est bien établie, le thérapeute peut faire cheminer la personne vers une plus grande compréhension d'elle-même, vers une meilleure connaissance de sa personnalité.

En se connaissant mieux, en comprenant comment est organisée sa personnalité, un individu peut faire des choix différents, décider de vivre des relations interpersonnelles plus satisfaisantes et orienter sa vie davantage en fonction de ses goûts et de ses intérêts.

Relation d'aide éducative

La relation d'aide éducative vise à amener une personne à corriger certains de ses comportements, à trouver de nouvelles solutions aux difficultés qu'elle vit dans le présent, à améliorer la qualité de ses relations interpersonnelles. C'est la forme de relation d'aide la plus couramment utilisée par les éducateurs et éducatrices spécialisés. Leur travail est davantage centré sur « l'ici et maintenant ». La relation d'aide est pour eux une approche parmi d'autres, puisqu'ils jouent souvent un rôle de substitut parental ou sociétal et doivent remplir les diverses fonctions qui sont rattachées à ces rôles en plus d'offrir la relation d'aide proprement dite.

Ainsi, un parent a un rôle d'autorité : il doit faire respecter certaines règles familiales ou sociales et intervenir lorsque ces règles sont transgressées. Un parent a aussi un rôle de confident : par moments, il prête l'oreille à son enfant qui vit une difficulté, un chagrin, un échec et le soutient pour qu'il apprenne à assumer ses responsabilités. Un parent sert souvent de modèle à un enfant : ses comportements et ses attitudes sont des points de référence pour l'enfant qui fait ses propres expériences dans son environnement physique et social.

La relation d'aide éducative s'inscrit à l'intérieur de ces différents rôles que les éducateurs et éducatrices doivent apprendre à différencier s'ils veulent arriver à bien faire leur travail. En raison de leur rôle d'aidants, ils peuvent se sentir proches de la personne, un peu comme un confident; cependant, ils doivent savoir garder leurs distances et être capables de faire preuve d'autorité, lorsque la situation l'exige. Les limites entre les différents rôles ne sont pas toujours faciles à tracer et à faire respecter.

Relation d'aide de soutien

La relation d'aide de soutien vise à apporter une aide ponctuelle à une personne afin de l'amener à trouver une solution à un problème immédiat ou à se libérer d'émotions pénibles. Habituellement de courte durée, ce type de relation est surtout caractérisé par l'écoute et la présence chaleureuse.

Les aidants naturels, les éducateurs et éducatrices, les médecins, etc., peuvent pratiquer la relation d'aide de soutien. Certaines personnes possèdent naturellement les qualités de base pour accorder ce soutien que sont l'empathie, le respect et l'authenticité. Avec un peu de formation et de supervision, ces personnes deviennent rapidement des aidants efficaces.

LES LIMITES DE LA RELATION D'AIDE ÉDUCATIVE

Les limites de la relation d'aide éducative découlent principalement de trois facteurs qui définissent le champ de travail des éducateurs et éducatrices : l'application d'un processus d'intervention, la présence d'un contexte d'autorité et les caractéristiques du client.

Appliquer un processus d'intervention

Pour les éducateurs et éducatrices, la relation d'aide n'est pas une fin en soi; elle s'inscrit à l'intérieur d'un processus d'intervention, aussi appelé processus clinique, dont les étapes sont présentées à la **figure 1.3**.

L'application du processus d'intervention impose des limites au travail de relation d'aide des éducateurs et éducatrices puisqu'ils doivent compléter chacune des étapes du processus et ne sont donc pas toujours disponibles pour s'engager dans une relation d'aide. Pour arriver à tracer le portrait d'une personne et à faire l'inventaire de ses forces et de ses besoins, ils doivent l'observer dans sa vie quotidienne, partager ses activités, faire des entrevues avec elle, être à son écoute; ils doivent également être à l'écoute de son entourage, des gens qui composent son réseau social.

Une fois le portrait-synthèse de la personne tracé, ils sont en mesure d'établir, avec elle, des objectifs et des stratégies d'intervention. La relation d'aide devient alors un moyen, parmi d'autres, pour atteindre les objectifs. Voyons un exemple.

Pierre est un jeune adulte de 30 ans qui est aux prises avec un trouble mental sévère, la schizophrénie. Les symptômes de sa maladie sont bien contrôlés et il manifeste le désir de se libérer des contraintes familiales; il veut également élargir son réseau social.

Avec l'aide des éducateurs du centre de jour qu'il a décidé de fréquenter, il apprend graduellement à s'affirmer, à prendre sa place, à développer ses goûts et ses intérêts. Les moyens mis en place pour rencontrer ces objectifs sont variés: activités centrées sur l'affirmation de soi, sorties dans divers organismes communautaires, suivi individuel hebdomadaire où peut s'exercer la relation d'aide, etc.

Lors des rencontres individuelles, Pierre a l'occasion de faire part de ses préoccupations, désirs, insatisfactions et de faire le point sur son cheminement; il peut également arriver à faire certaines prises de conscience qui vont l'amener à évoluer dans le sens qu'il le désire, c'est-à-dire à devenir plus autonome, à changer le lien qui l'unit à sa mère, etc.

Intervenir dans un contexte d'autorité

Les éducateurs et éducatrices agissent souvent dans un contexte d'autorité puisque, dans les milieux où ils travaillent, ils ont à appliquer des règlements ou à faire respecter des règles de vie propres à ces milieux.

Étape 1	OBSERVER	• faire le portrait-synthèse d'une personne
Étape 2	PLANIFIER	• faire l'inventaire des forces et des besoins • définir les besoins prioritaires • formuler des objectifs d'intervention • développer des stratégies d'intervention
Étape 3	APPLIQUER LE PLAN D'INTERVENTION	
Étape 4	ÉVALUER LE PLAN D'INTERVENTION	

Figure 1.3

Étapes du processus d'intervention

Pensons notamment aux foyers de groupe accueillant des jeunes temporairement retirés de leur famille. Des règles y sont mises en place pour favoriser la vie collective : heures de lever et de coucher, partage des tâches domestiques, conditions pour les sorties, etc. En tant que substituts parentaux, les éducateurs et éducatrices doivent faire respecter ces règles, même si les jeunes maugréent ou tentent par tous les moyens de les transgresser.

Ce rôle d'autorité peut entrer en conflit avec celui de confident et risquer de compromettre la relation de confiance établie avec un jeune. C'est un défi important pour les éducateurs et éducatrices que de faire en sorte que la proximité affective ne les empêche pas de faire preuve d'autorité lorsque la situation l'exige. Ils doivent être en mesure de bien distinguer leurs différents rôles et de les faire connaître clairement aux personnes auxquelles ils donnent des services.

Lorsqu'une relation est bien établie, lorsque les personnes se vouent un respect mutuel, les rôles sont reconnus et généralement bien acceptés, même si cette réalité n'élimine pas la possibilité que des conflits de rôles se manifestent et que le chantage apparaisse, à l'occasion. Les éducateurs et éducatrices seront confrontés à des remarques du genre : « Si tu m'aimais, tu n'exigerais pas cela de moi », « Ah! Vas-y, montre-moi que tu es *cool*! Laisse-moi sortir, même si je n'y ai pas droit! », « Je pensais que je pouvais compter sur toi... Je me suis bien trompé! Y'a pas moyen de faire confiance à personne », etc.

Tenir compte des caractéristiques du client

La clientèle des éducateurs et éducatrices n'est pas toujours en mesure de profiter d'une relation d'aide. En effet, la relation d'aide implique que les personnes aidées soient prêtes à s'engager personnellement, qu'elles aient un degré de motivation suffisant.

Cela exige également un minimum de capacité d'introspection, une capacité à réfléchir sur soi et à apprendre de ses propres expériences. Certaines personnes, dont celles ayant une déficience intellectuelle moyenne ou sévère, ne sont pas en mesure de faire une telle démarche. D'autres approches (béhavioriste, par exemple) sont mieux adaptées pour répondre à leurs besoins.

1.3 – LA CONNAISSANCE DE SOI

Il est maintenant reconnu que la relation interpersonnelle joue un rôle majeur dans tout processus d'aide ou de thérapie. Pour que cette relation soit efficace, la personne aidante doit démontrer certaines attitudes (empathie, respect, authenticité) et faire preuve de qualités personnelles particulières, tels l'ouverture aux autres, la maîtrise émotionnelle, le jugement et le discernement, etc.

On devine que la connaissance de soi prend alors beaucoup d'importance. On doit en fait lui accorder autant d'attention qu'au développement d'habiletés et à l'acquisition de techniques. Apprendre à se connaître est une démarche qui peut paraître ardue, mais combien il peut être excitant de découvrir ses forces, de travailler à les apprivoiser, d'identifier ses limites et d'apprendre à composer avec elles.

Bien sûr, apprendre à se connaître est la démarche de toute une vie; personne ne peut prétendre y arriver après seulement quelques mois ou quelques années de formation. Cette partie vise à fournir aux futurs aidants des moyens pour mettre en branle cet apprentissage, pour lui donner un sens et une orientation.

Avant tout, ils doivent être convaincus de l'importance de faire cette démarche, de son utilité dans leur travail. C'est pourquoi nous verrons d'abord les motifs pour lesquels on doit s'engager dans une telle aventure. Par la suite, nous donnerons quelques exemples d'aspects de la personnalité à cibler de façon particulière parce qu'ils sont plus sollicités en relation d'aide. Puis nous mettrons l'accent sur une démarche de connaissance de soi et présenterons le plan d'action qui aide à la réaliser. Enfin, nous donnerons des pistes pour apprendre à se protéger dans ce métier exigeant pour l'individu.

POURQUOI TRAVAILLER SUR SOI?

De nombreux motifs peuvent justifier l'importance accordée à la connaissance de soi avant d'offrir un service de relation d'aide : cette connaissance permet de s'engager de façon efficace dans une relation, elle rend possible la démonstration d'attitudes de base essentielles et elle permet d'éviter certains obstacles qui peuvent nuire à la bonne marche d'une relation d'aide. Voyons ces trois aspects plus en détail.

1) S'engager de façon efficace dans une relation

S'engager dans une relation signifie essentiellement « y mettre du sien, donner de soi-même »; une relation comprend également un échange. On peut échanger des opinions, des idées, partager des sentiments, des valeurs.

S'engager de façon efficace suppose qu'on soit conscient de ce qu'on propose en échange à l'autre. Si quelqu'un nous demande notre opinion sur un sujet, nous sommes en mesure de la lui donner si nous en avons une, si elle est formée. Si on nous demande ce que nous ressentons au moment présent face à telle personne, il faut que nous connaissions nos façons habituelles de ressentir pour être capable de répondre à cette demande.

La prise de conscience de son identité demande une réflexion sur soi-même. Il faut se poser des questions du type : Qui suis-je? Qu'est-ce que je ressens face à cette personne? Quel choix vais-je faire? Quelle est mon opinion sur telle question? etc. Cette démarche est essentielle à la connaissance de soi, mais elle ne suffit pas. L'expérimentation avec les autres, à l'intérieur d'une relation, doit venir confirmer ou infirmer ce qui a été découvert par l'introspection.

2) Démontrer des attitudes de base

Des attitudes telles que l'empathie, le respect et l'authenticité ne sont pas innées; elles se développent graduellement à l'intérieur d'expériences relationnelles. Rendues à l'âge adulte, certaines personnes sont plus en mesure de les démontrer, en raison des modèles et de l'éducation dont elles ont bénéficié. À partir de cette base, elles peuvent parfaire leur connaissance d'elles-mêmes et devenir de meilleurs aidants.

L'empathie exige de mettre en veilleuse temporairement ce qu'on est, ses pensées, opinions, sentiments, valeurs, pour se centrer sur la personne aidée. Pour y arriver, une personne doit avoir conscience de ce qu'elle est, de ce qui la distingue de l'autre.

Il en est de même pour le respect. Respecter veut dire tenir compte des différences de l'autre, de son rythme, de ses expériences. Cela implique que la personne aidante se connaît suffisamment pour se différencier de l'autre.

La connaissance de soi est également essentielle pour faire preuve d'authenticité : pour communiquer exactement ce que l'on pense, ce que l'on ressent, il faut bien se connaître, posséder un certain degré de maîtrise émotionnelle, savoir quelles sont nos principales valeurs.

3) Éviter certains obstacles

Une bonne connaissance de soi permet de reconnaître et d'éviter certains obstacles qui nuisent à l'efficacité d'une relation d'aide. En voici quelques exemples.

Les difficultés non résolues

Les confidences de la personne aidée peuvent mettre la personne aidante en contact avec ses propres difficultés non résolues; alors qu'on pense que le temps a tout réglé, le fait d'entendre parler de la même expérience fait remonter les souvenirs à la surface. Supposons qu'une personne raconte qu'elle vit une relation pénible avec son père. Soudain, l'intervenant se rappelle que la même chose lui est arrivée et qu'il ne voit plus son père depuis quelques années. Cette affaire non réglée recommence à le préoccuper et il lui est difficile de continuer à bien écouter l'autre.

La projection de soi

La projection de soi opère de façon inconsciente, donc malgré soi; cela consiste à attribuer à une autre personne des caractéristiques qui nous appartiennent. Lorsque ce phénomène arrive, il peut affecter la qualité de l'écoute empathique : croyant être centré sur une autre personne, nous sommes alors à l'écoute de notre propre monde intérieur. Toute la démarche d'aide s'en trouve alors déformée et même invalidée.

Supposons qu'une femme confie à une intervenante qu'elle éprouve beaucoup de difficultés à faire confiance à un homme; qu'elle cherche des moyens pour y arriver mais que cela ne mène à rien. L'intervenante veut lui faire constater qu'elle a peur de s'engager dans une relation et de faire des compromis. Sans en être consciente, elle peut être en train de lui faire part de sa propre difficulté à s'investir dans une relation; elle est à ce moment centrée sur elle-même et n'est plus à l'écoute de l'autre.

La peur de se laisser connaître

La relation d'aide est une expérience intense, puisqu'il y a une forme d'échange affectif entre deux personnes. La personne aidante apprend à connaître la personne qu'elle aide et elle développe une forme d'attachement envers elle. Elle se laisse également connaître, même malgré elle : l'autre la découvre, peut lui refléter ce qu'elle est, ses pensées, ses émotions, etc. Cette réciprocité est essentielle au maintien du lien de confiance.

Il arrive pourtant que la personne aidante résiste à tout rapprochement, de peur de se voir elle-même telle qu'elle est, et adopte une attitude neutre devant la personne aidée. Cette résistance va à l'encontre de l'authenticité et peut miner la confiance de l'autre.

Imaginons une intervenante qui se sent très à l'aise avec la personne qu'elle est en train d'écouter, qu'elle aime sa compagnie. Elle a même de la difficulté à mettre un terme à l'entretien. L'autre perçoit ce plaisir et lui dit : « J'aime bien parler avec vous; j'aime bien votre présence. » L'intervenante réplique, sur un ton neutre : « Je le sens bien, mais il va falloir terminer l'entretien maintenant. » On peut supposer que l'intervenante n'ose pas lui faire part qu'elle apprécie également sa présence, de peur de trop se dévoiler, de se sentir peut-être vulnérable ou de devenir plus sympathique qu'empathique. Sa froideur peut briser le lien de confiance, si difficile à créer. Une bonne connaissance de soi, de ses limites, facilite, au contraire, les rapprochements.

LES QUALITÉS ET ATTITUDES À PRIVILÉGIER

Le travail de connaissance de soi doit porter sur des qualités et des attitudes essentielles pour réaliser un travail d'aide. Le **tableau 1.1** (*voir la page suivante*) présente les qualités et attitudes les plus souvent sollicitées, selon les éducateurs et éducatrices.

Tableau 1.1

Attitudes et qualités personnelles les plus souvent sollicitées en relation d'aide[3]

ATTITUDES / QUALITÉS PERSONNELLES	FORCES	FAIBLESSES
AFFIRMATIONDE SOI		
AUTHENTICITÉ		
AUTOCRITIQUE		
CAPACITÉ DE CONFRONTER		
CRÉATIVITÉ		
DISCRÉTION (respect de la confidentialité)		
DYNAMISME		
EMPATHIE (écoute compréhensive)		
FACILITÉ À ENTRER EN RELATION		
FACILITÉ À FAIRE CONFIANCE		
FERMETÉ (mettre des limites)		
JUGEMENT ET DISCERNEMENT		
MAÎTRISE ÉMOTIONNELLE		
PATIENCE		
PERSÉVÉRANCE		
PRISE D'INITIATIVES		
RESPECT DE SOI		
RESPECT DES AUTRES (tolérance)		
SENS DES RESPONSABILITÉS		

Les qualités et attitudes énumérées dans ce tableau ne peuvent pas être développées toutes en même temps; des choix s'imposent. Les aspects de la personnalité qui jouent un plus grand rôle dans le déroulement d'une relation d'aide auront la priorité.

Parmi les attitudes à privilégier, l'empathie, le respect et l'authenticité viennent en tête; la deuxième partie du livre traite plus en détail de ces attitudes et du travail pour les développer.

Parmi les qualités personnelles prépondérantes, on trouve l'affirmation de soi, la facilité à entrer en relation et à faire confiance, la maîtrise émotionnelle, la fermeté (être capable de mettre des limites) et la capacité de confronter.

À première vue, il peut sembler difficile d'aborder un travail qui consiste à développer des qualités personnelles: comment apprendre à s'affirmer? com-

3 Ces données sont le résultat de sondages faits par l'auteur auprès d'éducateurs et d'éducatrices ainsi que de recherches dans la littérature sur la relation d'aide.

ment apprendre à contrôler ses émotions? comment devenir capable de mettre des limites? etc. On peut faire toutes sortes d'exercices, essayer des recettes, faire des tests de connaissance de soi, mais il importe de devenir conscients de ce qui nous empêche de nous affirmer, de mettre nos limites, etc.

À ce sujet, écoutons ce que les gens disent lorsqu'on leur pose les questions suivantes : « Qu'est-ce qui vous empêche de dire ce que vous pensez? Pourquoi ne dites-vous pas NON à cette personne? »

- J'ai peur de faire rire de moi, de paraître ridicule;
- J'ai peur de me tromper;
- J'ai peur de sa réaction;
- J'ai peur qu'elle ne m'aime plus;
- Etc.

On devine par ces réponses que les gens savent habituellement ce qu'ils veulent, ils ont leurs opinions et leurs valeurs, mais ils n'osent pas les affirmer. Leurs émotions et leurs sentiments freinent ce mouvement d'affirmation, le ralentissent et, dans certains cas, le bloquent complètement.

Ces émotions, cette peur existent évidemment aussi chez les futurs éducateurs et éducatrices : ils ont peur, peur de blesser, peur de perdre la confiance de l'autre en mettant des limites, peur de la réaction des autres (va-t-il se fâcher? va-t-il se mettre à pleurer?), etc.

Ainsi, la connaissance du monde des émotions et des sentiments (*voir l'annexe II*) devient, en quelque sorte, obligatoire pour développer d'autres qualités et d'autres habiletés.

UN EXEMPLE DE DÉMARCHE DE CONNAISSANCE DE SOI

Bien des chemins peuvent mener à la connaissance de soi. Celui choisi ici a été expérimenté auprès de plusieurs groupes d'éducateurs et d'éducatrices en formation. Il s'agit d'une démarche progressive et articulée à l'aide d'un plan d'action qui sert de guide. Voici les grandes lignes de cette démarche en trois étapes similaire au cycle de la relation d'aide défini par Carkhuff[4]. Ces trois étapes, présentées à la page 31, sont l'exploration, la compréhension et l'action (**figure 1.4**).

[4] Robert R. CARKHUFF. *L'Art d'aider*, Montréal, Les Éditions de l'Homme, 1988, p. 25-26.

Étudiante en 2e année au programme des techniques d'éducation spécialisée, Geneviève s'engage dans une démarche pour apprendre à se connaître; elle identifie ses principales forces : le dynamisme, la facilité à faire confiance, la patience, le respect des autres et un bon sens des responsabilités.

Les aspects de sa personnalité à développer sont les suivants : s'affirmer davantage, écouter de façon compréhensive, mettre des limites et maîtriser davantage ses émotions.

Phase d'exploration

La personne se situe par rapport à elle-même et à son milieu; elle définit ses forces et ses limites ainsi que les aspects de sa personnalité qu'elle veut développer.

À partir d'exemples concrets, de situations rencontrées en stage ou dans sa vie de tous les jours, Geneviève prend conscience de la façon dont ses forces se manifestent : elle se rappelle de feedback *qu'elle a reçu au sujet de son enthousiasme, de son dynamisme; elle réfléchit à ses façons de gagner la confiance des gens, etc.*

Elle réfléchit également à ses difficultés dans le but de choisir ce qu'elle veut améliorer. Sa sensibilité lui joue souvent des tours; elle pleure pour des riens. Puisque pour être efficace en relation d'aide, elle devra apprendre à mieux contrôler ses émotions et que dire non à quelqu'un ou s'imposer des limites est également difficile pour elle, elle choisit de travailler à améliorer ces dimensions de sa personnalité.

Phase de la compréhension

La personne établit des liens entre les attitudes et qualités personnelles qu'elle a identifiées et elle fait des choix, se fixe des priorités : qu'est-ce que je veux changer dans ma vie? quels sont les aspects de ma personnalité que je veux améliorer?

Geneviève prépare un plan d'action qui lui servira de guide pour mieux se connaître, apprendre à mieux se servir de sa sensibilité et à mettre ses limites. Elle se fixe des échéances pour expérimenter de nouvelles situations, pour tester ses limites et même les dépasser (ex. : arriver à pleurer moins souvent et à résister à une plus grande pression émotive).

Phase de l'action

La personne expérimente de nouveaux modes de comportement, de nouvelles façons de répondre à ses besoins afin d'améliorer sa qualité de vie et de se préparer à son futur métier.

Le fait de suivre cette démarche permet aux éducateurs et éducatrices en formation de comprendre l'expérience vécue par les personnes qu'ils aident. En explorant leur vécu, ils peuvent ressentir le même type d'anxiété qui mène à la découverte, la même peur de se voir tels qu'ils sont et aussi l'excitation face à l'inconnu.

Apprendre à se connaître apporte des changements dans sa perception de soi et des autres, dans ses façons de vivre ses relations interpersonnelles. Une fois enclenché, ce processus n'a plus de fin. Comme l'illustre la **figure 1.4**, l'exploration amène à la découverte, à la compréhension, la compréhension donne le goût d'agir, de changer, et l'action est génératrice de nouvelles explorations.

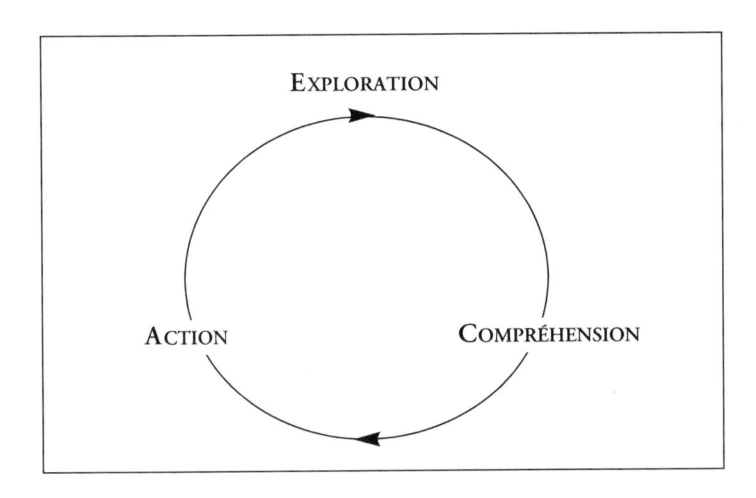

Figure 1.4

Les 3 étapes de la démarche de connaissance de soi

UN EXEMPLE DE PLAN D'ACTION INDIVIDUEL

La plan d'action individuel est un outil pour aider à mettre en branle et à orienter la démarche de connaissance de soi. Voici les étapes à suivre pour réaliser ce plan d'action :

Étape 1

Définir ses principales forces et difficultés parmi les attitudes et qualités personnelles (**tableau 1.1**).

> FORCES : affirmation de soi, discrétion, empathie, facilité à entrer en relation, patience et respect des autres.
>
> DIFFICULTÉS : capacité de confronter, fermeté et maîtrise émotionnelle.

Étape 2

Donner des exemples de situations de la vie quotidienne dans lesquelles ces forces et ces difficultés se manifestent.

> DISCRÉTION : mes amis me répètent régulièrement qu'ils peuvent me faire confiance, que leurs confidences seront gardées secrètes.
>
> MAÎTRISE ÉMOTIONNELLE : lorsque j'entends quelque chose de triste, je ne peux m'empêcher de pleurer.

Étape 3

Transformer ses difficultés en objectifs de travail; ces objectifs deviendront les cibles des actions.

DIFFICULTÉ : maîtrise émotionnelle

OBJECTIF : arriver à mieux contrôler mes émotions.

Étape 4

Formuler des objectifs spécifiques pour chaque objectif de travail. Les objectifs de travail, en étant trop larges, trop généraux, seront difficiles à atteindre. En les précisant, à partir de situations concrètes, la démarche sera d'autant facilitée.

OBJECTIF DE TRAVAIL : arriver à mieux contrôler mes émotions lorsque :

- ma mère me critique;
- mes amis me font attendre;
- je vis une frustration au travail.

OBJECTIFS SPÉCIFIQUES :

- Lorsque ma mère me critique, je veux arriver à mieux contrôler ma colère.
- Lorsque mes amis me font attendre, je veux leur faire savoir que je n'aime pas cela, sans les bouder.
- Lorsque je vis une frustration au travail, je veux arrêter de la faire subir à mes proches.

Étape 5

Pour chaque objectif spécifique, préparer une stratégie, des moyens d'action; il est bon de penser aux moyens à prendre pour atteindre cet objectif et de se fixer un échéancier pour agir

OBJECTIF SPÉCIFIQUE : Lorsque je vis une frustration au travail, je veux arrêter de la faire subir à mes proches.

MOYENS D'ACTION :

- en parler aux personnes concernées;
- consulter un collègue de travail;
- aller marcher pour faire baisser la tension.

ÉCHÉANCIER : Je veux agir dans les moments qui suivent l'apparition de la frustration (dans les heures ou les jours qui suivent, si possible).

Pour assurer la réalisation du plan d'action, il est important de lui accorder un suivi, c'est-à-dire de vérifier, après un temps déterminé (toutes les semaines, tous les mois, tous les trois mois), comment avance la démarche. La **figure 1.5** illustre un modèle de fiche qui pourrait aider à faire ce suivi.

PLAN D'ACTION INDIVIDUEL FICHE DE SUIVI	
Moyens d'action depuis le début de l'application du plan d'action	OBJECTIF SPÉCIFIQUE 1 OBJECTIF SPÉCIFIQUE 2
Objectifs modifiés	• Nommez les objectifs auxquels vous avez apporté des modifications • Donner les raisons de ces modifications
Objectifs abandonnés	• Nommez les objectifs abandonnés • Donner les raisons de ces changements
Stratégies modifiées	• Quelles stratégies avez-vous modifiées ? • Pourquoi avez-vous fait ces modifications ?
Commentaires	Écrivez les commentaires que vous inspire la démarche suivie jusqu'à maintenant (application de votre plan d'action)

Figure 1.5

Exemple de fiche de suivi du plan d'action individuel

COMMENT SE PROTÉGER?

Le travail des éducateurs et éducatrices spécialisés s'avère de plus en plus exigeant : les problèmes présentés par la clientèle s'alourdissent; les tâches sont en grande partie effectuées en solitaire, loin d'une équipe de travail, dans un contexte inconnu, dans le milieu de vie des personnes en difficulté.

Parce que les conditions de travail se détériorent d'année en année (longues heures de travail, statut précaire, insécurité d'emploi, liste de rappel), l'épuisement professionnel guette de nombreux intervenants qui n'ont pas développé le réflexe de se protéger.

En outre, la relation d'aide est exigeante sur le plan émotionnel : les personnes en difficulté demandent beaucoup d'attention et de disponibilité; elles puisent sans limite dans la réserve d'énergie des autres et peuvent facilement les mettre à plat. Un intervenant non averti de cette réalité sera vite piégé et contraint d'abandonner la tâche.

Apprendre à se protéger devient donc une condition essentielle pour accomplir un travail efficace en relation d'aide, comme d'ailleurs dans l'ensemble du champ d'intervention psychosociale. Cette protection doit couvrir le domaine personnel et le domaine professionnel: sur le plan personnel, il faut apprendre à connaître et à mettre ses limites, à respecter ses zones de vulnérabilité; sur le plan professionnel, il faut se donner des règles de conduite et les respecter, puiser dans le travail d'équipe et exiger de la supervision lorsque cela semble nécessaire. Voyons cela plus en détail.

1) Apprendre à connaître et à mettre ses limites

Une limite, c'est, en quelque sorte, une frontière, une ligne de démarcation. D'un côté de la frontière, nous sommes chez nous, dans le connu; nous pouvons maîtriser ce qui s'y passe. De l'autre côté de la frontière, c'est l'étranger, ce qui ne nous appartient pas, ce qui est hors de notre contrôle.

Connaître ses limites devient un atout, une force. En les connaissant, nous pouvons en tenir compte ou pas, les dépasser en sachant qu'il y a un risque; nous pouvons également les faire connaître aux autres et faire en sorte qu'ils les respectent.

Nous avons plusieurs types de limites: physiques (condition physique, état de santé), sensorielles (acuité visuelle, auditive), motrices (dextérité, préhension), intellectuelles (mémoire, concentration), affectives (contrôle émotionnel, modes d'expression), sociales (facilité à entrer en relation, nombre d'amis), spirituelles (croyances, projets).

La meilleure façon de connaître nos limites est de les expérimenter, de les tester; nous pouvons également arriver à dépasser, à déplacer une limite déjà existante. Un moyen pour savoir si une limite nous convient est d'être attentif à ce que nous ressentons à l'intérieur de cette limite: si nous nous sentons bien, à l'aise, serein, c'est un signe positif; si nous nous sentons mal, tendu, préoccupé, comme en prison ou dans un carcan, c'est un signe négatif.

Nous avons le choix d'accepter ou non une limite, d'accepter notre sort ou de vouloir le changer; nous avons le pouvoir de changer certaines limites (ex.: dextérité, contrôle émotionnel, sociabilité), d'autres non (ex.: taille, maladie héréditaire).

À l'âge adulte, chaque personne possède déjà un bagage important de limites, quelles soient conscientes ou inconscientes. Pour mettre ses limites et les faire respecter, il faut les rendre conscientes, en prendre le contrôle. Une bonne façon d'y arriver est de rédiger son autoportrait (*voir l'annexe III*).

L'autoportrait permet à une personne de repérer les caractéristiques qu'elle connaît d'elle-même et de faire un bilan de ses forces et de ses difficultés. Une fois le portrait complété, on peut faire l'exercice suivant :

EXERCICE 1.1

1) Choisissez une personne en qui vous avez confiance et remettez-lui votre autoportrait.

2) Demandez à cette personne de lire votre autoportrait et de noter les aspects qui ne sont pas clairs pour elle.

3) Par la suite, invitez cette personne à vous questionner sur ces aspects à clarifier.

2) Respecter ses zones de vulnérabilité

Une zone de vulnérabilité est une partie de notre personnalité plus sensible, par laquelle nous sommes plus fragile, plus facile à déstabiliser. Ce peut être un trait de caractère ou un trait physique que nous acceptons mal, une façon d'exprimer une émotion en particulier, une manie, etc., qui suscite chez nous une réaction que nous contrôlons mal, qui nous rend mal à l'aise.

Généralement, ceux qui nous entourent détectent rapidement nos faiblesses et peuvent s'en servir pour chercher à nous toucher, nous blesser, obtenir une faveur, etc. Lorsqu'une personne cherche à se servir d'une de nos faiblesses, nous pouvons réagir de plusieurs façons : nous pouvons tenter de l'ignorer, nous pouvons nous aventurer sur ce terrain délicat au risque de perdre pied, nous pouvons aussi reconnaître notre faiblesse et ainsi enlever à l'autre la possibilité de s'en servir contre nous.

Les personnes aidantes sont plus susceptibles d'exposer leur vulnérabilité puisqu'elles se font connaître, souvent malgré elles, sans en être vraiment

- *Une personne de petite taille et qui accepte mal cette limite tolère difficilement que quelqu'un fasse des remarques à ce sujet.*
- *Une personne qui se fâche pour des riens n'aime habituellement pas se voir réagir de cette façon, manquer de contrôle si facilement.*
- *Une personne qui a vécu de la violence dans son enfance sera plus sensible aux situations comportant de la violence.*
- *Une personne qui n'est pas d'accord avec l'avortement aura plus de difficulté à aider une jeune adolescente qui veut se faire avorter.*
- *Etc.*

conscientes, au cours des rencontres avec les personnes qu'elles aident. Ces personnes détectent leurs faiblesses très rapidement et peuvent s'en servir contre elles.

Les personnes en difficulté ont souvent la sensibilité à fleur de peau et perçoivent chez l'autre les moindres signes, les moindres réactions. Cette perception n'est habituellement pas consciente ou délibérée, mais elle est bien réelle. Voir l'exemple à la page suivante.

Comme nous pouvons le constater dans cet exemple, l'éducatrice est vulnérable devant l'agressivité masculine. Peut-être le savait-elle, mais elle a pris le risque, a voulu tester ses limites et elle s'est fait prendre au jeu. Peut-être ne le savait-elle pas, alors cette expérience a souligné sa fragilité. Elle devra désormais composer avec cette nouvelle limite qu'elle vient de vivre.

On a mentionné l'importance de la connaissance de soi pour offrir la relation d'aide; cette connaissance n'est jamais complète; elle s'améliore avec chaque expérience. Les personnes aidantes ne sont donc pas à l'abri de tels pièges. Cependant, il est important de faire preuve de discernement pour ne pas s'engager dans un processus de relation d'aide qui risque de nuire à une personne au lieu de lui venir en aide, parce que les difficultés vécues par cette personne touchent d'une façon ou d'une autre une de nos zones de vulnérabilité.

Les exercices 1.2 et 1.3 (voir p. 38 et 39) pourront aider à définir ses zones de vulnérabilité et à développer des moyens pour se protéger.

3) Se donner des règles de conduite et les respecter

L'éthique est un aspect important du travail d'aide; les règles éthiques servent d'abord à protéger le public, les clients, mais elles protègent également les personnes aidantes. En leur servant de balises, elles encadrent leurs interventions, leur font éviter des erreurs flagrantes et les aident à se construire une réputation solide.

> *Une éducatrice commence un entretien avec un homme soupçonné d'être violent à l'endroit de sa conjointe; cet homme a tendance à prendre rapidement le contrôle dans une relation, particulièrement avec les femmes. Il parle fort, adopte une posture pour tenter d'impressionner l'autre* (penché vers l'avant, le menton dressé, les épaules droites).
>
> *L'éducatrice travaille depuis quelques années dans des situations difficiles; elle aime les défis et se croit à toute épreuve. L'homme qu'elle écoute parle de plus en plus fort; il commence à l'agresser verbalement, à dire que toutes les femmes sont comme ci et comme ça. Elle ne répond pas à ces invectives, mais se sent touchée intérieurement par elles; l'agressivité fait son chemin tranquillement en elle.*
>
> *L'homme perçoit ces changements d'humeur manifestés à travers le mouvement de ses yeux, un regard parfois fuyant, de nouvelles mimiques faciales, un mouvement de recul, un changement de posture; un certain malaise commence à apparaître chez l'éducatrice et l'homme le perçoit. Il accroît la pression, monte le ton, s'avance davantage vers elle; il prend le contrôle de la situation.*
>
> *La personne aidante est piégée; elle n'a pas vu venir le coup! Sa limite a été dépassée et elle n'a pas pu réagir adéquatement! Elle devra mettre un terme à cet entretien d'aide.*

Des balises pour intervenir

Les balises visent particulièrement la définition du champ de compétences et le respect du secret professionnel.

Les éducateurs et éducatrices doivent faire preuve de professionnalisme dans leurs interventions, par exemple ne pas offrir de services pour lesquels ils n'ont pas la préparation adéquate, apporter une réponse appropriée et proportionnée aux besoins des clients, prendre le temps d'établir une relation de confiance avec eux.

Le secret professionnel est un élément essentiel à l'établissement et au maintien de cette relation de confiance; il permet aux intervenants d'offrir des services de qualité et de recevoir de temps en temps des rétroactions qui les stimulent, les encouragent à poursuivre.

Une réputation à préserver

Démontrer des comportements conformes à l'éthique constitue une des bases importantes pour se faire reconnaître, pour établir sa réputation. Quand on entend dire de quelqu'un qu'il travaille bien, qu'il est consciencieux, qu'on peut lui faire confiance, c'est un indice qui ne trompe pas.

EXERCICE 1.2 Apprendre à détecter ses zones de vulnérabilité

1) Décrivez une situation qui vous a entraîné dans une zone de vulnérabilité.

2) En quoi vous êtes-vous senti vulnérable?

3) Comment vous êtes-vous aperçu de cette vulnérabilité? (indices physiologiques, réactions du client, etc.)

EXERCICE 1.3 Apprendre à se protéger

1) Qu'avez-vous fait pour vous dégager de la situation décrite à l'exercice 1.2?

____

____

____

____

2) Comment pourriez-vous vous protéger à l'avenir?

____

____

____

____

____

Les gestes professionnels posés par les intervenants psychosociaux sont difficiles à circonscrire et à évaluer; les résultats de leurs interventions sont souvent à peine perceptibles. Par le fait même, une réputation dans ce secteur d'activité est difficile et longue à bâtir. En outre, la reconnaissance sociale n'est habituellement pas très grande, ce qui rend encore plus ardu le fait de travailler dans ce domaine. Il devient très important dans ce contexte de donner un service professionnel pour se faire reconnaître.

4) Puiser dans le travail d'équipe

En relation d'aide, les éducateurs et les éducatrices interviennent habituellement seuls : ils sont laissés à eux-mêmes et doivent faire preuve de compétence et se montrer solides. Pourtant, ils vivent des situations de grand stress qui, à la longue, peuvent les ronger de l'intérieur.

Les rencontres d'équipe deviennent, dans ce contexte, des moments privilégiés pour échanger ses idées, ses impressions, faire part de ses bons coups et des moments difficiles, exprimer des émotions pénibles, ventiler, comme on dit couramment dans le vocabulaire des intervenants.

Bien sûr, le travail d'équipe n'est pas toujours facile et enrichissant; dans l'équipe existent souvent des tensions, des non-dits qui peuvent aussi gruger inutilement l'énergie des membres. C'est le rôle des responsables d'équipe de permettre de liquider ces tensions pour donner accès aux richesses qui y dorment.

Le travail d'équipe est aujourd'hui jugé comme moins important, si on considère le temps qu'on lui accorde. On peut avoir l'impression que c'est du temps perdu, surtout si les rencontres sont mal préparées et si l'animation est déficiente. Pourtant, il s'agit de moments précieux où il est possible de refaire le plein d'énergie. C'est une façon de travailler qui devrait être revalorisée.

5) La supervision, un outil nécessaire

Il est renversant de constater que de nombreux éducateurs et éducatrices, fraîchement diplômés, se retrouvent dans un champ d'intervention sans avoir de supervision. Bien sûr, il existe une période de probation dans certains milieux; dans d'autres, on offre une possibilité de pairage ou de parrainage avec des éducateurs et éducatrices expérimentés.

La supervision rend possible l'analyse des actes professionnels posés : elle permet aux intervenants de se questionner et de recevoir des avis de collègues chevronnés; elle permet également d'augmenter la qualité des services offerts.

La supervision permet aux intervenants de prendre conscience de leurs forces et de leurs limites en leur donnant l'occasion d'exprimer des émotions retenues, de faire part de préjugés qui les accablent, de parler des valeurs qui les guident dans leur travail. Elle accorde du soutien aux intervenants et leur permet ainsi de continuer à progresser dans un métier de plus en plus exigeant et complexe.

1.4 – UN PROCESSUS D'AIDE EN 6 ÉTAPES

Pour engager et mener à terme une relation d'aide, une personne aidante peut décider de suivre un processus, une série d'étapes qui la conduiront à l'atteinte de l'objectif visé. Selon le type de relation d'aide pratiqué, le processus suivi comprendra un nombre et une séquence d'étapes différents. Carkhuff[5], par exemple, propose de suivre un processus en quatre étapes :

1) Se mettre à l'écoute

2) Réagir verbalement

3) Personnaliser l'expérience

4) Prendre l'initiative de l'action

Comme dans tout processus, le respect de l'ordre des étapes est important. Ainsi, la première doit être franchie de façon satisfaisante avant de s'engager dans la seconde. Franchir toutes les étapes n'est pas nécessaire : en face de quelqu'un qui exprime seulement le besoin d'être écouté, le travail d'aide peut être interrompu une fois que ce besoin est comblé.

Dans les pages suivantes, nous vous présentons un processus d'aide composé de six étapes; il s'agit bien sûr d'un regroupement arbitraire, d'un découpage qui correspond bien, selon nous, au genre de travail d'aide pratiqué par les éducateurs et les éducatrices.

Les étapes de ce processus sont les suivantes :

1) Créer un lien de confiance

2) Écouter et observer

3) Démontrer de la compréhension

4) Identifier le besoin d'aide

5) Amener la personne à reconnaître et à accepter son besoin

6) Soutenir la personne dans l'action

Nous présenterons chacune des étapes de ce processus en les illustrant d'exemples pour bien montrer comment une personne aidante peut engager et compléter chacune des étapes. Un tableau comparatif des tâches de la personne aidante et de celles de la personne aidée à chacune des étapes sera présenté à la fin de ce chapitre (**tableau 1.2**).

---

5 Robert R. CARKHUFF. *L'Art d'aider*, Montréal, Les Éditions de l'Homme, 1988, p. 30-36.

C'est en suivant ce même processus que les principales attitudes et techniques utiles en relation d'aide seront expliquées dans la deuxième partie du présent ouvrage.

PREMIÈRE ÉTAPE : CRÉER UN LIEN DE CONFIANCE

Créer un lien de confiance est le premier défi qui incombe à la personne aidante. Les gens qui expriment un besoin d'aide sont souvent des êtres qui ont expérimenté, à plusieurs reprises, soit le rejet, l'abandon, la trahison ou le non-respect, et qui ont développé, à l'égard des autres, une certaine méfiance. Ils ont de la difficulté à faire confiance. Il est plus difficile de les approcher et de les apprivoiser.

Certaines conditions et certaines attitudes vont faciliter la création de ce lien. Les principales sont les suivantes : l'accueil, le respect et l'authenticité.

1) L'accueil

L'accueil exige de la personne aidante qu'elle soit sensible au rôle joué par les affinités, qu'elle évalue correctement sa disponibilité et qu'elle en fasse part clairement, qu'elle aménage des conditions favorables à l'écoute, qu'elle se montre ouverte à l'autre et qu'elle lui explique le but de la rencontre ou de l'entretien.

Être sensible au rôle joué par les affinités

En relation d'aide, les affinités ont aussi leur importance : une personne aidante se sent spontanément plus proche de quelqu'un avec qui elle partage des points de vue ou des intérêts. Il lui est plus facile de démontrer de l'empathie, de comprendre le vécu de l'autre, de le respecter. La confiance, qui est aussi du domaine du senti, de l'émotion, s'établit alors plus facilement.

Évaluer sa disponibilité et en faire part à la personne

Avant de s'engager dans une relation d'aide, la personne aidante doit bien évaluer si elle est en condition pour le faire; la disponibilité désigne le temps dont elle dispose mais aussi l'état psychologique dans lequel elle se trouve. Il est important de fournir à la personne aidée ces informations.

Aménager des conditions favorables à l'écoute

Un entretien peut durer quelques minutes ou quelques heures; il est donc important de se soucier de l'environnement physique dans lequel il se déroulera en veillant, par exemple, à offrir un mobilier confortable, un éclairage adéquat, etc. Le respect de la confidentialité doit aussi être assuré, entre autres par le choix d'un lieu discret où on risque le moins possible d'être dérangé.

Montrer de l'ouverture

Certains gestes, certaines postures expriment l'ouverture de soi, peuvent faire comprendre qu'on est prêt à écouter. Ainsi, s'asseoir de biais ou en face d'une personne facilite le contact visuel et le dialogue.

Expliquer le but de la rencontre

Il est important de bien situer le contexte de la rencontre. Dans le travail d'éducateur et d'éducatrice, il arrive régulièrement d'avoir à fixer des rendez-vous pour faire des mises au point, pour assurer le suivi d'un programme de réadaptation, etc. Au début de l'entrevue, il est important de rappeler le but de la rencontre et prendre le temps de vérifier si la personne le comprend bien.

2) Le respect

Deuxième condition pour favoriser la création d'un lien de confiance, le respect est une forme d'acceptation de l'autre tel qu'il est, avec ses forces et ses limites, ses façons différentes de penser et d'agir. Lorsqu'une personne qui demande de l'aide se sent respectée, elle a tendance à s'ouvrir, à se confier.

Le respect se traduit dans les attitudes que l'on adopte, les mimiques, tous les aspects non verbaux du comportement devant les confidences de l'autre. Ces moindres gestes sont perçus par la personne aidée qui est à l'affût d'indices pouvant lui donner confiance.

3) L'authenticité

L'authenticité est une attitude qui consiste à rester soi-même, à faire preuve d'honnêteté et de franchise envers la personne qui demande de l'aide. Cette attitude exige que nous possédions une bonne dose de confiance en soi pour ne pas fléchir en face des comportements ou des pressions exercées par l'environnement. Voyons un exemple.

Sylvie travaille comme éducatrice dans une maison d'hébergement pour jeunes adolescentes. Marie, âgée de 15 ans, y séjourne depuis quelques jours. Elle demande à rencontrer Sylvie. Il est 11 heures et il faut préparer le repas. Sylvie se dit donc prête à la rencontrer mais en début d'après-midi seulement, pour une période de 30 minutes.

Marie se présente à la rencontre à l'heure prévue. Sylvie l'accueille dans une petite pièce, bien à l'écart des autres pensionnaires de la maison. Elle s'assure qu'elle est bien à son aise et se dit prête à l'écouter.

Sylvie se montre accueillante envers Marie et tient compte de sa demande; elle établit clairement les conditions de la rencontre. Elle fait preuve de respect et reste honnête envers Marie en lui indiquant que le moment n'est pas opportun.

Une personne authentique, qui use en même temps de tact dans son approche, peut, dans un premier temps, provoquer une certaine résistance ou une certaine méfiance chez une autre personne. L'authenticité peut faire peur, surtout si on arrive difficilement à adopter cette attitude dans sa propre vie.

DEUXIÈME ÉTAPE : ÉCOUTER ET OBSERVER

Deuxième étape du processus d'aide, l'écoute et l'observation visent à amener l'intervenant à mieux connaître la personne qui demande de l'aide. Le premier contact, à l'étape 1, apporte déjà des éléments de connaissance; à l'étape 2, l'accent est mis sur l'écoute attentive (mémorisation) des confidences et l'observation des comportements révélateurs.

Écouter signifie porter une attention particulière aux paroles de l'autre, à leur contenu informatif (événements rapportés, comportements, opinions et perceptions du client) et à leur contenu affectif (émotions et sentiments sous-jacents).

Observer signifie porter une attention particulière aux aspects non verbaux de la communication de l'autre : les mimiques faciales, le regard, les postures, les gestes, le ton de la voix, les silences, etc.

Avant de commencer à parler, Marie regarde Sylvie à plusieurs reprises; après chaque regard, elle baisse la tête et soupire...

MARIE – Je trouve difficile de dire ce que j'ai à dire... Les mots ne me viennent pas! C'est incroyable parfois ce qu'une personne peut faire à une autre. (*Elle bouge la tête de droite à gauche, comme pour dire non.*) Ça n'a pas de bon sens ce que je viens de faire! C'est immoral! Je ne pensais jamais en arriver là! (*Suit un long moment de silence.*)

Une écoute attentive permet, ici, d'établir que les paroles de Marie sont ambiguës; elles ne révèlent, pour l'instant, aucun fait, aucun événement précis. Un sentiment commence à se profiler, mais il est difficile de le nommer pour le moment.

Une observation attentive permet, d'autre part, de souligner les aspects non verbaux évidents qui sont : plusieurs regards entrecoupés (baisse la tête et soupire); des mouvements de la tête qui disent « non »; de longs moments de silence.

TROISIÈME ÉTAPE : DÉMONTRER DE LA COMPRÉHENSION

Par l'écoute et l'observation, l'intervenant apprend à connaître l'autre; en même temps, il procède à un travail d'analyse des données obtenues (verbales et non verbales) afin d'y déceler la véritable raison de la demande d'aide, le besoin de la personne.

Reformulation et reflet

À cette étape-ci, il faut vérifier régulièrement sa compréhension des propos de l'autre en lui parlant, en le questionnant, en reflétant ses sentiments, en reformulant ses propos; cette démarche vise à éviter de tourner en rond ou d'errer dans tous les sens. Par la reformulation et le reflet, l'intervenant exprime à la personne aidée ce qu'il comprend de son monde; cela permet à l'autre de confirmer ou non ce qu'il lui reflète et aide à effectuer les corrections nécessaires.

La reformulation porte à la fois sur le contenu informatif (événements, comportements et opinions) et le contenu affectif (émotions, sentiments) des confidences alors que le reflet porte uniquement sur l'aspect affectif.

Pour être vraiment efficace, l'intervenant doit aller plus loin que l'écoute, le reflet et la reformulation. Pour obtenir des informations plus précises, il faut poser des questions. Les types de question les plus fréquents sont la question ouverte et la question fermée.

La reformulation

MARIE – Ça n'a pas de bon sens ce que je viens de faire! C'est immoral! Je ne pensais jamais en arriver là! *(Suit un long moment de silence.)*

SYLVIE – Tu me sembles déçue du geste que tu viens de poser? *(Reformulation sous forme de question.)*

MARIE – Je suis plus que déçue! J'ai honte de moi! Si vous saviez ce que j'ai fait... *(silence)*

SYLVIE – Peux-tu me parler de ce que tu as fait?

Le reflet

MARIE – Ça n'a pas de bon sens ce que je viens de faire! C'est immoral! Je ne pensais jamais en arriver là! *(Suit un long moment de silence.)*

SYLVIE – Tu es déçue de toi-même?

La question ouverte

SYLVIE – Peux-tu me parler de ce que tu as fait?

MARIE – C'est difficile à dire! J'ai peur de ce que vous allez penser de moi!

SYLVIE – Je comprends ta réticence; cependant, si tu ne me dis pas ce que tu as fait, il m'est impossible de pouvoir vraiment t'aider.

La question fermée

MARIE – Ce que j'ai fait concerne ma meilleure amie et en plus, elle ne le sait pas, du moins je le crois! J'ai rencontré son chum récemment, tout à fait par hasard, et nous avons... *(silence)*

SYLVIE – As-tu fait l'amour avec lui?

MARIE – Oui! J'ai comme perdu la tête, je m'en veux tellement!

La question ouverte

Ce type de question est formulé de façon très générale; il vise à la fois à obtenir plus d'informations et à encourager la personne aidée à se confier davantage.

La question fermée

Ce type de question vise à obtenir une information précise; dans certains cas, la réponse à ces questions peut se limiter à un oui ou à un non.

QUATRIÈME ÉTAPE : SPÉCIFIER LE BESOIN D'AIDE

Le besoin est ce que la personne veut faire, ce qu'elle veut changer dans sa vie, le problème qu'elle veut résoudre; c'est, en d'autres mots, la raison pour laquelle elle demande de l'aide.

Pour déterminer le besoin d'une personne, il faut retenir l'essentiel de ses confidences et chercher à y découvrir les éléments récurrents, les éléments qui se répètent et sur lesquels elle met l'accent.

Ce dialogue permet de constater que Sylvie a retrouvé, chez Marie, le besoin suivant : celle-ci a honte d'un geste qu'elle vient de commettre et elle a peur de perdre son amie. De plus, elle n'accepte pas d'avoir eu cette faiblesse. Cela n'est pas digne d'elle. Sylvie essayera de lui faire voir qu'elle n'est pas infaillible, qu'elle peut commettre des erreurs et qu'il est possible de les corriger.

MARIE – À cause de mon étourderie, je risque de perdre mon amie. Lorsqu'elle va apprendre ce que j'ai fait, elle va tellement m'en vouloir! Quelle conne j'ai été!

SYLVIE – Tu as peur de perdre son amitié et tu te trouves stupide d'avoir agi ainsi...

MARIE – Tout à fait! Vous ne trouvez pas ça stupide, vous, de vous laisser aller, un soir, de ne pas penser plus loin que le bout de votre nez et de prendre un si gros risque...

SYLVIE – Je n'ai pas à juger de tes actes. C'est à toi d'en assumer la responsabilité et de voir maintenant ce que tu peux faire pour tirer la situation au clair.

MARIE – C'est facile à dire; on voit bien que vous êtes pas dans ma peau! Je ne peux accepter de me voir comme ça, d'avoir agi ainsi; je ne me reconnais plus! Ce n'est pas moi!

CINQUIÈME ÉTAPE : AMENER LA PERSONNE À RECONNAÎTRE ET ACCEPTER SON BESOIN

Pour résoudre un problème, pour vaincre une difficulté, il faut d'abord bien le définir, le nommer et ensuite décider de lui trouver des solutions, des réponses. Il faut amener une personne à se dire : « Oui, j'ai ce problème et je veux le régler. Oui, j'ai ce besoin et je veux y répondre ».

Cette étape peut être difficile à franchir en raison des résistances qui se manifestent fréquemment chez la personne aidée : cette dernière a peur de se regarder en face, de se voir telle qu'elle est; elle tente d'éviter de faire face à la réalité. La confrontation sera souvent utile pour franchir cette étape.

La confrontation est une attitude qui consiste à amener la personne aidée à reconnaître et à accepter sa situation, le problème qu'elle vit, le besoin qui se manifeste chez elle; c'est l'amener à se dire qu'elle veut changer et qu'elle est prête à y mettre les efforts nécessaires. Le changement génère habituellement des résistances et l'intervenant doit être en mesure de reconnaître ces résistances et de travailler à les faire disparaître. Il doit également être en mesure de faire face aux risques associés à l'utilisation de la confrontation.

Ses principaux risques sont les suivants : créer un froid entre la personne aidante et la personne aidée, amener cette dernière à confronter la personne aidante et, à la limite, à mettre un terme à la relation.

Marie tente de confronter Sylvie, de changer le terrain de la discussion, d'éviter de se regarder en face. Elle a besoin d'un peu de temps pour réfléchir à tout cela, l'assimiler et décider si elle veut continuer la relation et reprendre contact avec Sylvie.

> **LA CONFRONTATION**
>
> SYLVIE – Je n'ai pas à juger de tes actes. C'est à toi d'en assumer la responsabilité et de voir maintenant ce que tu peux faire pour tirer la situation au clair.
>
> MARIE – C'est facile à dire; on voit bien que vous êtes pas dans ma peau! Je ne peux accepter de me voir comme ça, d'avoir agi ainsi; je ne me reconnais plus! Ce n'est pas moi!

SIXIÈME ÉTAPE : SOUTENIR LA PERSONNE DANS L'ACTION

La personne qui vit une difficulté est habituellement la mieux placée et la plus motivée pour trouver une ou des façons de contrer cette difficulté. De son côté, l'intervenant l'accompagne dans cette recherche; il peut lui indiquer une manière de chercher et de prendre une décision.

Il existe une méthode très simple de prise de décision, qui comporte les trois étapes suivantes : inventaire des solutions ou des réponses, analyse de chacune des solutions et choix de la solution la mieux adaptée au problème.

Une personne qui souffre depuis longtemps, qui vit un manque important dans sa vie pourra se sentir pressée de combler son manque, de trouver une solution, sans vraiment prendre le temps d'en évaluer toutes les conséquences ou les implications. La contribution de la personne aidante devient alors essentielle pour la guider vers une recherche fructueuse.

Il importe de prendre le temps de faire, avec la personne, une évaluation sérieuse et complète de chacune des solutions envisagées afin d'arriver à prendre la meilleure décision possible.

Marie, après quelques jours de réflexion, a décidé de continuer la démarche d'aide qu'elle avait entreprise avec Sylvie. Elle demande donc de la rencontrer.

MARIE – Je suis un peu mal à l'aise de vous revoir après ce que je vous ai dit, mais je veux continuer afin de trouver une solution à cette situation; j'y pense continuellement, ça m'obsède!...

SYLVIE – J'aimerais que tu me résumes ce qui s'est passé afin de reprendre le fil de notre échange.

MARIE – J'ai fait une folle de moi! Je risque de perdre ma meilleure amie parce que j'ai eu une aventure avec son ami. Je pense qu'elle ne le sait pas, mais, lorsqu'elle va l'apprendre, elle va me détester, j'en suis sûre...

SYLVIE – Comment pourrais-tu te sortir de ce pétrin? As-tu une idée de ce que tu pourrais faire?

MARIE – N'avez-vous rien à me suggérer? Que feriez-vous à ma place?

SYLVIE – Ce n'est pas à moi de régler ce problème; cependant, je peux t'aider à le faire. Quelles sont les solutions possibles?

MARIE – Je peux attendre pour voir si les choses vont se tasser d'elles-mêmes... sans qu'elle le sache, ou bien je vais la rencontrer pour tout lui dire mais j'ai peur de sa réaction! Je pourrais aussi attendre qu'elle s'en doute et qu'elle m'en parle... ou bien prendre mes distances avec elle pour éviter de la rencontrer... Que c'est compliqué!

SYLVIE – Tu as trouvé plusieurs solutions possibles. Si tu veux, nous allons les regarder ensemble, les analyser pour voir ce que chacune d'elles implique pour toi. Es-tu d'accord?

MARIE – D'accord, allons-y!

SYLVIE – Il est possible que les choses se tassent d'elles-mêmes. Que feras-tu pendant ce temps? Quelle attitude pourrais-tu avoir face à ton amie?

Après discussion, Marie a décidé de clarifier la situation avec son amie, au risque de briser la relation qu'elle entretient avec elle. La rencontre aura lieu dans un terrain neutre (ex. : un restaurant, une place publique), à un moment où les deux ont l'habitude de se voir. Avec le concours de Sylvie, elle a tenté de prévoir quelles pourraient être les réactions possibles de son amie et ensemble elles ont simulé ces différentes possibilités afin de préparer Marie à faire face à la situation.

Une fois la décision prise, la personne aidée a souvent besoin d'être soutenue dans la mise en application de la solution qu'elle a retenue. Le soutien peut consister à l'aider à préparer un plan d'action, une démarche pour surmonter sa difficulté, à l'encourager pendant qu'elle agit, à la rencontrer pour voir avec elle ce qui se passe, comment elle vit la situation.

Tableau 1.2

Tableau comparatif des responsabilités de la personne aidante et de la personne aidée à chaque étape du processus d'aide

ÉTAPES	PERSONNE AIDANTE	PERSONNE AIDÉE
-1- Créer un lien de confiance	• Accueillir • Démontrer du respect • Être authentique	• S'engager dans la relation • Démontrer du respect
-2- Écouter et observer	• Porter attention au non-verbal • Porter attention au contenu informatif et au contenu affectif	• Faire part de son besoin
-3- Démontrer de la compréhension	• Reformuler les propos • Refléter les sentiments • Questionner • Faire décrire de façon claire le problème	• Répondre aux questions • Donner du feedback
-4- Identifier le besoin	• Chercher les éléments récurrents contenus dans les confidences • Formuler le besoin	• Collaborer à la formulation du besoin
-5- Amener la personne à reconnaître et accepter son besoin	• Utiliser la confrontation, si nécessaire • Faire face aux risques associés à la confrontation	• Reconnaître son besoin • Décider de mettre les efforts pour y répondre
-6- Soutenir la personne dans l'action	• Guider la personne • Suggérer des méthodes de recherche et de prise de décision • Aider à préparer un plan d'action • Encourager pendant la réalisation	• Trouver une ou des façons de répondre à son besoin • Prendre une décision • Appliquer la décision retenue

Deuxième partie

Mise en application d'un processus d'aide en 6 étapes

Mise en application d'un processus d'aide en 6 étapes

La relation d'aide est un processus qui vise à accompagner une personne dans son cheminement, à l'amener à trouver des réponses à ses besoins ou à solutionner des problèmes qu'elle rencontre dans sa vie quotidienne.

Pour l'aider à faire ce cheminement, l'éducatrice ou l'éducateur spécialisé qui entreprend avec elle un travail de relation d'aide doit posséder certaines habiletés de base.

Dans cette deuxième partie, nous nous attarderons au développement de diverses habiletés utiles tout au long du processus d'aide, par le biais d'explications, de pistes de réflexion, d'exemples et d'exercices.

Nous consacrons une partie à chacune des habiletés déjà mentionnées dans la première partie de l'ouvrage, soit créer un lien de confiance en apprenant à accueillir une personne, en lui témoignant du respect et en restant authentique avec elle; écouter et observer en étant attentif aux messages verbaux et non verbaux, en apprenant à les décoder; démontrer de la compréhension empathique en voyant la réalité à travers les yeux de l'autre, en lui reflétant ses sentiments et en reformulant ses propos; faire spécifier les confidences d'une personne pour arriver à en dégager l'essentiel en posant des questions pertinentes, en choisissant bien le moment de les poser et en faisant des reformulations; confronter une personne en l'amenant à bien cerner son besoin et à trouver des façons d'y répondre; soutenir une personne lorsqu'elle a décidé d'agir afin de régler ses difficultés en l'aidant à connaître et à utiliser ses forces.

On peut développer chacune des compétences mentionnées, séparément, à son rythme. La partie 2.7 vise à favoriser ce processus d'acquisition en présentant l'entretien d'aide, sa préparation, son déroulement et son évaluation, en vue de permettre la vérification du degré de compréhension et de mise en pratique des notions présentées.

2.1 – CRÉER UN LIEN DE CONFIANCE

Créer un lien de confiance, on l'a dit, est le premier défi qui incombe à la personne aidante et c'est à travers sa façon d'accueillir l'autre, de lui démontrer du respect et d'être authentique qu'elle pourra y arriver.

Il faut bien se rappeler que la confiance ne se donne pas spontanément, mais, le plus souvent, se gagne petit à petit. Le premier contact est habituellement déterminant pour la suite d'une relation : l'intérêt démontré à l'autre, l'attention accordée, l'aisance manifestée vont favoriser la création du lien.

Il devient donc important pour une personne aidante de connaître sa façon personnelle d'entrer en relation avec quelqu'un, d'être sensible à ses premières impressions et de savoir bien les décoder et d'apprendre à rester soi-même dès les débuts d'une relation (voir la partie 1.3 sur la connaissance de soi).

Nous verrons dans cette partie comment développer sa capacité à créer un lien de confiance en apprenant à accueillir une personne, à lui témoigner du respect et à rester authentique avec elle.

DÉVELOPPER SA CAPACITÉ D'ACCUEIL

L'accueil exige de la personne aidante d'être sensible au rôle joué par les affinités, de savoir évaluer correctement sa disponibilité et d'en faire part clairement, d'aménager des conditions favorables à l'écoute, de se montrer ouverte à l'autre et d'expliquer le but de la rencontre ou de l'entretien.

Nous verrons tour à tour chacun de ces aspects de l'accueil en situant leur importance en relation d'aide et leur impact sur le développement du lien de confiance avec la personne aidée.

Être sensible au rôle joué par les affinités

Tout le monde s'accorde pour dire que les affinités jouent un rôle important dans la création d'un lien entre deux personnes. Les affinités sont en quelque sorte des ressemblances, une certaine concordance entre les traits de caractère de deux personnes, leurs goûts, leurs intérêts, leurs façons de penser, leurs valeurs, etc. Les affinités suscitent une certaine attirance entre deux personnes et aident au rapprochement. Voici deux exemples démontrant l'effet d'attirance ou de répulsion entraîné par la présence ou non d'affinités.

- *J'écoute quelqu'un donner son opinion sur le phénomène de la pauvreté; je trouve que ses idées rejoignent les miennes et j'ai tendance à l'appuyer, à me ranger de son côté. Il me donne l'impression d'être sympathique et d'avoir du bon sens. J'ai envie d'échanger avec lui. Nous avons des affinités.*
- *Les gens qui s'intéressent trop à l'argent, qui font tout pour en gagner le plus possible, qui ne parlent que de cela me rebutent un peu; j'ai tendance à m'éloigner d'eux. Je ne sens pas d'affinités avec ces gens.*

Le jeu des affinités est toujours présent dans la vie et influence toutes les relations interpersonnelles. Nos premières impressions sur une personne sont souvent déterminées par un petit « déclic »: quelque chose dans l'habillement d'une personne, un geste particulier, une mimique, un comportement qui attire notre attention. Ce phénomène opère habituellement de façon inconsciente ou plus ou moins consciente: on se sent attiré, quelque chose nous plaît chez l'autre sans qu'on puisse préciser de quoi il s'agit. On ne sait trop, c'est comme ça! C'est naturel!

Quand on sent des affinités, il est plus facile de créer un contact avec quelqu'un et d'engager une conversation; les affinités agissent comme une motivation, une énergie qui alimente une relation naissante.

En relation d'aide, les affinités ont leur importance: une personne aidante se sent spontanément plus proche de quelqu'un avec qui elle partage des points de vue ou des intérêts. Il lui est plus facile de démontrer de l'empathie, de comprendre le vécu de l'autre, de le respecter. La confiance, qui est aussi du domaine du senti, de l'émotion, s'établit alors plus facilement.

Bien sûr, les éducateurs et éducatrices n'ont habituellement pas le choix des personnes qu'ils vont aider. Lorsque quelqu'un leur est assigné, ils doivent se débrouiller pour faire leur travail. Il reste qu'en sachant que les affinités jouent un rôle, ils peuvent le faire valoir aux membres de l'équipe et tenter d'en tenir compte dans l'assignation des clients.

Les intervenants doivent être prêts à reconnaître qu'ils ne peuvent pas aider certaines personnes, qu'ils ont leurs limites. Lorsque la situation se présente, ils doivent clarifier, le plus tôt possible, leur position et faire part à l'autre des difficultés rencontrées à établir un lien, à se sentir à l'aise. Il ne faut pas hésiter à faire part de ses limites. Et, pour ce faire, il est important de bien les connaître et de les accepter. L'exercice 2.1 permet une réflexion sur ce point.

Une des tendances des aidants en formation ou en début de pratique est de vouloir plaire à tout le monde, de forcer la relation, de vouloir aider n'importe qui, sans discernement. Cette tendance les conduit souvent à un cul-de-sac : ils s'engagent dans une démarche d'aide sans que la confiance soit établie et la relation finit habituellement par s'éteindre, l'une des deux personnes trouvant toutes sortes de prétextes pour remettre les rencontres ou négligeant de s'y présenter.

Évaluer sa disponibilité et en faire part

Aider n'est pas une tâche facile; ce travail demande beaucoup d'énergie et de temps. La personne aidante doit se sentir prête à mettre son énergie à la disposition de l'autre; elle doit être en mesure d'évaluer sa disponibilité psychologique (peut-elle chasser ses préoccupations personnelles? contrôler son stress? etc.). Combien s'engagent dans des relations d'aide sans en mesurer la teneur et les conséquences! Combien aussi s'épuisent à vouloir aider en ne tenant pas compte de leurs capacités et de leurs limites!

Évaluer le temps dont on dispose est également important; et surtout il ne faut jamais dire : « J'ai tout mon temps pour vous ». Si on dispose de 30 minutes, il faut le préciser à la personne. La limite étant fixée, il sera plus facile de mettre un terme à la rencontre. Si la période de temps disponible ne satisfait pas la personne, elle aura le choix d'accepter ou non la rencontre dès le départ.

Un temps bien géré fait toute la différence. Si la personne aidante le contrôle bien, elle ne se sentira pas angoissée par peur d'en manquer ou d'en donner trop. Toute son attention sera alors mise à la disposition de l'autre de façon pleine et entière. Elle pourra aussi plus facilement régulariser les étapes à franchir pendant l'entretien.

Il faut faire part à l'autre de son état physique ou psychologique, de l'énergie et du temps dont on dispose pour qu'il sente clairement qu'on est prêt à l'aider. Une personne aidante fatiguée donne des signes de son état, consciemment ou non; une autre qui se sent bousculée par le temps manifeste un certain stress qui est aussi perçu par l'autre et nuit à la relation entre les personnes en cause.

EXERCICE 2.1

1) Pensez à ce qui vous attire chez une personne; à ce qui fait que vous avez le goût de vous approcher de quelqu'un.

Une pers. souriante, qui a de l'humour. une bonne hygiène

2) Pensez à ce qui vous déplaît chez une personne; à ce qui vous rend difficile l'approche de quelqu'un.

Quelqu'un qui est trèstrès timide,
Quelqu'un qui a les dents jaunes,
Quelqu'un qui croit tout savoir

3) Pensez à ce que vous aimez en vous.

Ma personnalité joyeuse

4) Pensez à ce que vous n'aimez pas en vous.

avoir de la difficulté a trouver le bon mot.

5) Analysez vos réponses avec une autre personne en essayant de voir s'il y a un lien entre celles des questions 1 et 2 et celles des questions 3 et 4?

EXERCICE 2.2

1) Pensez à une situation où vous êtes venu en aide à quelqu'un.

2) Répondez aux questions suivantes :

- Vous sentiez-vous pleinement disponible pour l'autre?

- Sinon, qu'est-ce qui vous empêchait de l'être?

- Aviez-vous le plein contrôle du temps?

Aménager des conditions favorables à l'écoute

Quand on fait allusion à des conditions favorables, on pense à l'environnement physique, au mobilier et à l'éclairage. Il est important de choisir un endroit discret et isolé, qui favorise le respect de la confidentialité. La personne doit sentir qu'elle n'est pas écoutée par d'autres que vous et qu'elle peut compter sur votre discrétion. Par exemple, si des bruits se font entendre dans une pièce adjacente, il est bon de prendre le temps de rassurer la personne et de vérifier devant elle si on peut vous entendre.

L'environnement choisi doit aussi fournir un certain confort : un espace suffisant pour permettre à chaque personne de se sentir à l'aise; un mobilier adéquat, surtout si l'entretien s'annonce de longue durée; un éclairage approprié, pas trop clair, chaleureux.

Il n'est pas toujours facile ni possible de respecter ces conditions. L'essentiel est de comprendre qu'elles peuvent favoriser le travail d'aide et bien disposer la personne qui demande de l'aide.

EXERCICE 2.3

1) Pensez à une situation où vous êtes venu en aide à quelqu'un.

____

____

2) Décrivez l'environnement dans lequel s'est déroulé votre entretien.

____

____

____

____

____

3) En quoi ces conditions étaient-elles favorables ou non à l'écoute?

____

____

____

____

Montrer de l'ouverture

Certains gestes, certaines postures expriment l'ouverture de soi, peuvent faire comprendre à une personne qu'on est prêt à l'écouter. Ainsi, s'asseoir de biais ou en face d'elle facilite le contact visuel et l'échange. Adopter une posture légèrement penchée vers l'avant, en direction de la personne, est également interprété comme un signe de rapprochement. Regarder une personne dans les yeux ou à la hauteur du visage incite également à la confidence.

Cependant, il faut faire attention pour ne pas indisposer la personne en la regardant trop fixement, surtout si elle-même a de la difficulté à soutenir le regard d'un autre.

Expliquer le but de la rencontre

Lorsqu'il s'agit d'une première rencontre avec une personne inconnue, il est important de bien lui faire préciser ses attentes dès le départ (ex. : « Vous avez demandé à me parler, puis-je en connaître la raison? » ou « Que puis-je faire pour vous aider? »).

Avec quelqu'un qu'on a déjà rencontré, il est important de bien situer le contexte de l'entretien. Dans le travail d'éducateur et d'éducatrice, il arrive régulièrement d'avoir à fixer des rendez-vous pour faire des mises au point, pour assurer le suivi d'un programme de réadaptation, etc. Au début, il faut rappeler le but de la rencontre et prendre le temps de vérifier si la personne le comprend bien (ex. : « Si je vous rencontre maintenant, c'est pour faire suite à votre demande d'hier au sujet de... », « C'est pour parler de la dispute que vous avez eue avec… », « Je veux clarifier un certain nombre de choses, entre autres… »). L'exercice 2.4 permet de faire le point sur ces techniques.

DÉMONTRER DU RESPECT

Le respect consiste à accepter une autre personne telle qu'elle est, de façon inconditionnelle. Cela veut dire, entre autres, de ne pas porter de jugement sur ses opinions, ses valeurs, ses croyances, les sentiments qu'elle exprime, les difficultés d'adaptation qu'elle rencontre. Cette attitude doit être inconditionnelle, dans le sens que la personne aidante ne pose pas de limites à l'acceptation de l'autre.

EXERCICE 2.4 Développer sa capacité d'accueil

- *Résumez 2 à 3 situations où vous êtes venu en aide à des personnes.*
- *Pour chacune des situations, répondez aux questions suivantes :*

1) Aviez-vous des affinités (ou non) avec la personne aidée? Lesquelles?

oui, les même valeurs, émotions sembla-bles.

2) Avez-vous rencontré des obstacles à ce niveau? Lesquels?

non

3) Vous sentiez-vous pleinement disponible pour l'autre?

oui

4) Lui avez-vous fait part de votre disponibilité?

Oui,

5) Comment avez-vous fait pour vous rendre disponible intérieurement à l'autre?

J'étais à l'écoute, Faciale

6) Aviez-vous le contrôle du temps?

Oui

7) En quoi l'environnement physique était-il favorable ou non à l'écoute?

le bruit, le mouvement

8) Comment avez-vous montré de l'ouverture à l'autre?

attentive

9) Comment avez-vous présenté le but de la rencontre?

non applicable.

Le respect, c'est aussi croire en la dignité d'une personne, croire qu'elle est unique, qu'elle a le droit de choisir et qu'elle a les ressources, le potentiel pour surmonter ses difficultés. En lisant cette définition, vous vous dites probablement qu'une telle forme de respect n'est pas réaliste, qu'on ne peut pas tout accepter du vécu d'une autre personne. Prenons pour exemple un homme qui vient d'être condamné pour attentat à la pudeur sur de jeunes filles mineures. On ne peut bien sûr accepter qu'un être humain satisfasse sa libido de cette façon. On peut par contre reconnaître le besoin de cet homme sur le plan sexuel; il s'agit d'un besoin fondamental que possède tout être humain. Le respect doit donc porter sur la personne, ses besoins et ses droits fondamentaux et non sur ses comportements.

Toute personne a droit à la vie, au respect de sa dignité et de sa vie privée. Nous avons tous les mêmes droits et les mêmes besoins fondamentaux (échelle de Maslow, **figure 1.2**). Cependant, l'exercice de ces droits est limité sur le plan social. Ainsi, un individu ne peut pas faire tout ce qu'il veut ou ce qu'il désire pour exercer son droit ou répondre à un de ses besoins. La liberté de l'un s'arrête là où commence la liberté de l'autre.

En relation d'aide, l'acceptation d'une autre personne implique les mêmes règles. Les deux personnes en présence ont les mêmes droits et les mêmes besoins fondamentaux; le respect doit donc être exprimé de façon mutuelle, réciproque. Une personne aidante ne peut accepter que quelqu'un qui lui demande son aide lui manque de respect, porte atteinte à sa réputation, l'invective.

Pour sa part, elle doit accepter que l'autre pense différemment d'elle, que ses valeurs diffèrent, que sa conception de la vie et des relations interpersonnelles soit, à la limite, complètement à l'opposé de la sienne. Ce qui importe pour la personne aidante, c'est de prendre en considération le point de vue de l'autre et d'essayer de comprendre pourquoi cette personne voit les choses comme elle les voit.

Tableau 2.1

Manifestations du respect et du non-respect

RESPECT	NON-RESPECT
• Être attentif à ce que l'autre exprime • Démontrer de l'empathie • Respecter le rythme de l'autre • Souligner ses forces • Utiliser un langage personnalisé • Être authentique	• Donner des solutions • Moraliser, sermonner • Menacer l'autre • Ridiculiser les paroles ou les gestes de l'autre • S'apitoyer • Être impatient par rapport au rythme de l'autre

Le respect est un sentiment qui se manifeste à travers des comportements, des attitudes. Le tableau précédent (**tableau 2.1**) présente les principales manifestations observables du respect et celles du non-respect. Il peut être plus difficile de faire preuve de respect à l'endroit d'une personne dont les propos heurtent nos valeurs, d'où l'importance de bien se connaître et de bien situer ses valeurs personnelles. Les **tableaux 2.2** et **2.3** présentent respectivement une liste de critères pour reconnaître une valeur et une liste des valeurs les plus souvent nommées. Les exercices 2.5 et 2.6 permettent une réflexion sur les valeurs et sur leur impact lors des entretiens d'aide.

Tableau 2.2

Des critères pour reconnaître une valeur[1]

CRITÈRES POUR RECONNAÎTRE UNE VALEUR ASSUMÉE DANS LE QUOTIDIEN D'UNE PERSONNE
1) Elle est choisie.
2) La personne connaît les conséquences du choix de cette valeur.
3) Elle est observable dans les gestes quotidiens.
4) Elle donne un sens, une direction à son existence.
5) La personne y est attachée.
6) La personne l'affirme publiquement.
7) La personne s'implique publiquement dans des activités qui la valorisent.
8) Pour la personne, il y a une forte correspondance entre sa vie personnelle et ses réalisations professionnelles.

Tableau 2.3

Les valeurs les plus souvent nommées[2]

• La liberté	• L'amitié	• L'individualisme
• La famille	• Le partage	• L'ordre
• Le respect des autres	• L'indépendance	• L'effort
• Le respect de soi	• La démocratie	• Le conformisme
• Le sens du devoir	• L'autonomie	• L'épanouissement
• L'égalité des droits	• La justice	• L'ouverture à soi
• L'harmonie	• La tolérance	• L'altruisme
• L'avoir	• Le respect de l'autorité	• La solidarité
• L'amour	• La compétition	• Le travail
	• La responsabilité	• La sécurité
		• L'excellence

1 Claude PAQUETTE. *Analyse de ses valeurs personnelles : s'analyser pour mieux décider*, Montréal, Éditions Québec-Amérique, 1982, p. 31.

2 *Ibid.*, p. 37.

EXERCICE 2.5

1) Nommez et décrivez vos principales valeurs, à l'aide des tableaux 2.2 et 2.3.
2) Expliquez de quelle façon chacune de vos valeurs se reflète dans votre quotidien (exemples de situations vécues).

1re valeur :

l'a propreté

Quotidien :

En contact avec des jeunes qui manque d'hygiène

2e valeur :

l'honnêteté

Quotidien :

Mensonges = jeunes

3e valeur :

Être responsable (autonome)

Quotidien :

assumer nos gestes

EXERCICE 2.6 **Le respect** (*Corrigé annexe V*)

Voici quelques exemples de confidences pouvant heurter les valeurs de la personne aidante. Pour au moins une de ces situations, formulez une réponse qui démontrera comment vous manifesteriez votre respect envers la personne qui parle.

Situation 1

Sophie, 16 ans : « Je suis enceinte et je ne veux pas garder cet enfant! Je vais me faire avorter! »

____

____

____

____

Situation 2

Pierre, 30 ans : « C'est vrai, je suis pédophile! Ce n'est pas une maladie! C'est la société qui n'est pas capable d'accepter les gens différents comme moi! »

____

____

____

____

Situation 3

Annie, 25 ans : « Je n'ai pas le choix de me prostituer; j'ai dû abandonner l'école à 15 ans; je n'ai pas d'autres moyens pour gagner ma vie. De plus, je n'ai aucune famille, aucun ami. »

____

____

____

____

RESTER AUTHENTIQUE

L'authenticité est la correspondance exacte entre ce qu'une personne pense ou ressent intérieurement et ce qu'elle communique ouvertement à une autre personne. Prenons un exemple.

> *Une personne me demande: « Es-tu prêt à m'écouter? J'ai besoin de parler à quelqu'un. » Intérieurement, je me dis que je suis prêt à écouter cette personne, mais que je ne suis pas disponible maintenant. Ma réponse est: « Oui, je suis prêt à t'écouter, mais je ne peux pas le faire maintenant; veux-tu qu'on regarde ensemble un moment qui nous conviendrait à tous les deux? »*

L'authenticité implique de rester soi-même dans une relation d'aide, de ne pas chercher de faux-fuyants, d'être franc et honnête avec l'autre personne. Pour rester soi-même, il faut d'abord savoir qui l'on est, ce qu'on pense, ce qu'on ressent, connaître ses valeurs, ses forces et ses limites. La démarche de connaissance de soi présentée à la partie 1.3 a d'ailleurs comme objectif de développer ce savoir.

La connaissance de soi fait donc partie de l'apprentissage de l'authenticité. Une fois cette connaissance acquise, existe la possibilité de communiquer ou non à l'autre ce qu'on est verbalement ou par des comportements. L'authenticité implique donc de faire des choix: choix de communiquer ou non, de parler ou non de ses valeurs, d'exprimer ou non ses sentiments, etc.

Le besoin du client peut servir de guide au moment de faire ces choix, dans le sens suivant: si on évalue que le fait de communiquer à l'autre une opinion ou un sentiment personnel peut l'aider, alors il devient important de le faire.

L'authenticité n'est cependant pas synonyme d'« ouverture de soi ». En effet, pour être authentique, on n'a pas à se présenter comme un grand livre ouvert, au vu et au su de tout le monde. On peut rester soi-même tout en ne répondant pas à une question, tout en ne laissant pas connaître une partie de soi-même.

L'authenticité n'est pas synonyme non plus d'« impulsivité ». Une personne impulsive agit sans trop réfléchir, en suivant ses impulsions. Une personne authentique peut agir spontanément, mais elle peut demeurer plus réservée, plus réfléchie, raisonnable. Une bonne dose de ces deux manières de réagir peut témoigner de l'authenticité.

Les obstacles à l'authenticité

Pour être authentique en relation d'aide, il faut posséder une bonne connaissance de soi et également être capable de s'ouvrir aux autres sans crainte. La personne qui ne possède pas ces deux qualités rencontre des difficultés importantes. Pour être capable de se distinguer de l'autre, il faut être en mesure de savoir clairement quels sont ses points de vue personnels, ses valeurs, ses réactions affectives; pour éviter de projeter sur l'autre son monde intérieur, il faut apprendre à bien le maîtriser. Un premier obstacle vient donc d'une mauvaise connaissance de soi.

Un second obstacle peut venir de ses inhibitions, c'est-à-dire de ses réticences à s'exprimer, à se laisser connaître, de blocages dans l'expression de soi. Ces blocages apparaissent habituellement pour deux raisons: la peur des réactions de l'autre ou la peur de se laisser connaître.

Peur des réactions de l'autre

Si on dit à une personne le fond de sa pensée sur des sujets qui la concernent (sa façon de s'habiller, son orientation politique, sa façon de mener ses relations interpersonnelles), que va-t-elle penser de nous? Va-t-elle nous haïr? Va-t-elle devenir agressive et nous dire des choses que nous ne voulons pas entendre? Notre relation risque-t-elle d'être brisée? Allons-nous être capable de faire face à sa réaction?

Toutes ces questions et bien d'autres peuvent surgir dans la tête d'une personne qui retient son affirmation, qui hésite à clarifier une situation devenue problématique. Les désaccords, les différences de points de vue, même les conflits sont inévitables à l'intérieur des relations interpersonnelles. Cependant, le besoin d'être aimé et approuvé est souvent plus fort que le désir de mettre les choses au clair; la peur de perdre cet amour l'emporte alors sur l'affirmation de soi.

En relation d'aide, la personne aidante doit s'affirmer telle qu'elle est; à certains moments, elle doit en plus confronter l'autre à sa réalité, à ses difficultés. Si elle a peur de perdre l'amour de l'autre, si elle a peur de lui déplaire, son travail d'aide est entravé ou perd de son efficacité.

Peur de se laisser connaître

La relation d'aide peut amener une personne en difficulté à voir clair dans sa vie et à trouver des solutions à ses problèmes; elle peut aussi lui apprendre à mieux se connaître. Le même phénomène peut se produire également chez la personne aidante. En effet, les interactions, les échanges peuvent être pour elle une source de remise en question puisque la personne aidée lui donne des rétroactions, lui reflète son image.

La personne aidante peut être ouverte à cette expérience et en tirer profit; elle peut par contre se sentir menacée et résister à toute remise en question. Si elle considère que la relation d'aide existe seulement pour l'autre et que sa propre personnalité ne peut en aucune façon être touchée par cette expérience, elle adopte alors une position de neutralité et s'implique peu ou pas dans la relation, ce qui peut nuire à l'évolution du travail d'aide, au lien de confiance entre les personnes en présence.

Comme le respect, l'authenticité est une attitude qui se manifeste à travers certains comportements. Le tableau suivant (**tableau 2.4**) présente les principales manifestations d'authenticité et de non-authenticité.

L'authenticité suscite habituellement le respect et la confiance. Une personne sûre d'elle-même et bien dans sa peau rassure son entourage, invite au rapprochement. Elle fournit aussi à la personne aidée un modèle pour devenir elle-même authentique (découvrir et actualiser son « vrai moi »).

Tableau 2.4

Manifestations d'authenticité et de non-authenticité

AUTHENTICITÉ	NON-AUTHENTICITÉ
• Correspondance entre le verbal et le non-verbal • Ouverture aux critiques constructives • Affirmation de façon spontanée et non agressive • Ouverture aux différences • Aise face aux émotions du client • Engagement profond dans la relation	• Contradiction entre le verbal et le non-verbal • Fermeture devant ses propres pensées et émotions • Non-receptivité des critiques • Posture rigide • Acceptation difficile des différences • Agressivité • Malaise face aux émotions du client • Engagement superficiel dans la relation

Les exercices suivants ont pour but d'aider à développer l'authenticité; ces exercices sont gradués de la façon suivante :

L'EXERCICE 2.7 (individuellement) vise à faire le point sur la connaissance de soi en notant des éléments connus sur différents plans de sa personnalité (sentiments, valeurs, forces et limites). En complétant les phrases, on est en mesure de nommer ces éléments connus et ainsi de mieux les posséder. Par la suite, on peut décider d'en parler ou non à une autre personne et indiquer les raisons de son choix.

L'EXERCICE 2.8 (par équipes de deux) invite à communiquer les résultats du premier exercice, en se basant sur les choix faits (colonne du centre). Cet exercice donne la possibilité de faire part à une autre personne d'un aspect de soi-même gardé caché et ainsi de se faire connaître davantage.

L'EXERCICE 2.9 fait le lien avec la relation d'aide : on y apprend à se servir de son authenticité en écoutant une personne, à rester soi-même tout en étant centré sur une autre personne.

EXERCICE 2.7 (individuellement)

1) Ce que je connais de moi :

J'aime...

____

____

____

____

____

____

Je n'aime pas...

____

____

____

____

(Suite au verso)

EXERCICE 2.7 *(Suite)*

Je suis ému par...

Je trouve important de...

Une de mes forces, c'est...

Une de mes limites, c'est...

2) J'en parle oui ou non

3) Les raisons de mon choix

EXERCICE 2.8 **(par équipes de deux)**

1) À partir de ce que je connais de moi (exercice 2.7), je veux faire connaître :

____

____

2) Ce que j'ai fait connaître :

____

____

____

3) Ce que je retiens de mon échange avec une autre personne :

____

____

____

EXERCICE 2.9 (*Corrigé annexe V*)

Voici quelques situations d'entretien où une personne se confie à vous. Pour au moins une de ces situations, formulez une réponse qui démontrera comment vous manifestez votre authenticité envers elle.

Situation 1

Mère de trois enfants, âgée de 40 ans : « Ce n'est pas une petite éducatrice spécialisée comme toi qui va venir me dire comment élever mes enfants! »

____

____

____

____

____

____

(Suite au verso)

EXERCICE 2.9 *(Suite)*

Situation 2

Madame Dupont, 75 ans: « Cela fait une heure que je vous attends pour écrire cette lettre à ma fille! Vous m'aviez pourtant promis de venir me voir à 15 heures; je vois que je ne peux pas me fier à vous! »

Situation 3

Jean, 25 ans, paraplégique en raison d'un accident récent: « C'est facile pour vous de me dire d'accepter mon handicap! Je voudrais bien vous voir à ma place; je ne suis pas sûr que vous l'accepteriez plus facilement que moi! »

LABORATOIRE

Le présent laboratoire a comme objectif de développer la capacité de créer un lien de confiance.

CONTEXTE DE RÉALISATION

Un jeu de rôles (*voir l'annexe IV*) impliquant un aidant et un aidé; les autres membres du groupe agissent en tant qu'observateurs et observatrices. Ces derniers ont à leur disposition une grille d'observation, dont un modèle est présenté à la page suivante (**tableau 2.5**).

*

L'enregistrement sur vidéo du jeu de rôles peut être utile pour souligner les principaux aspects de l'accueil, les manifestations de respect et de non-respect et celles de l'authenticité.

*

Une fois le jeu de rôles terminé, le professeur demande aux observateurs de faire part au groupe des comportements remarqués et met en évidence leur impact sur l'établissement du lien de confiance.

Tableau 2.5

Exemple de grille d'observation pour évaluer la capacité à créer un lien de confiance

	GESTES	OBSERVATIONS
ACCUEIL	• Se présente • Invite l'autre à s'asseoir • Précise le temps disponible • Pose des gestes d'ouverture (posture, etc.) • Précise le but de l'entretien • Etc.	
GESTES RESPECTUEUX	• Démontre de l'empathie (par des reformulations, des reflets) • Souligne les forces de l'autre • Utilise un langage adapté • Etc.	
GESTES NON RESPECTUEUX	• Donne des solutions • Moralise, sermonne • Menace • Ridiculise les paroles ou les gestes de l'autre • S'apitoie. • Etc.	
GESTES AUTHENTIQUES	• Donne son opinion en respectant celle de l'autre • Exprime un sentiment en utilisant le « je » • Se montre ouvert aux critiques • Reste calme face aux émotions de l'autre, etc.	
GESTES NON AUTHENTIQUES	• Donne son opinion en ignorant celle de l'autre • Exprime un sentiment en attaquant l'autre • Se montre fermé aux critiques • Perd le contrôle face aux émotions de l'autre	

2.2 – ÉCOUTER ET OBSERVER

Les confidences d'une personne peuvent contenir un ou plusieurs messages; ces messages peuvent être formulés clairement et donc être plus facilement compréhensibles, décodables. Voici un exemple de message clair : « Je viens de perdre mon emploi et, à l'âge que j'ai, j'ai peur de ne plus pouvoir trouver de travail. » Par contre, un message peut être confus et il peut être difficile d'en comprendre le sens. « Je pense que, si ma vie continue comme ça, il va falloir que je prenne des décisions importantes… » est un exemple de message qui manque de clarté.

Écouter veut dire « prêter l'oreille à quelqu'un », être attentif à ce qu'il nous communique. Cependant, en relation d'aide, la véritable écoute dépasse la simple écoute. Pour atteindre son objectif, la personne aidante doit arriver à se faire une idée claire de ce que l'autre personne vit, des difficultés qu'elle rencontre. Pour ce faire, elle doit vérifier constamment si elle a bien compris ce qu'elle vient d'entendre.

En plus d'écouter, elle doit être attentive aux gestes de l'autre, à sa posture, au ton de sa voix, à ses mimiques, à ses silences. Ses habiletés d'observatrice peuvent alors lui être d'un grand secours et lui indiquer des pistes à suivre.

Nous verrons dans cette partie des exercices visant à développer les habiletés suivantes : décoder les indices non verbaux, reconnaître les aspects informatifs et affectifs d'un message et savoir les distinguer.

DÉCODER LE NON VERBAL

Lorsqu'une personne fait des confidences, celles-ci sont habituellement accompagnées de gestes, de mimiques. La personne adopte une posture particulière, un ton de voix, un débit verbal; il y a également des silences d'intervalles variables qui jalonnent son discours. Tous ces éléments sont importants à observer; ils peuvent donner des pistes intéressantes pour découvrir l'état de la personne qui se confie.

Ainsi, chez une personne qui a peur, on peut, à l'occasion, observer les indices suivants : les yeux grands ouverts, une posture raide, crispée; un ton de voix saccadé; de légers tremblements; etc. Chez une personne qui se sent dépressive, on peut, à l'occasion, observer les indices suivants : la tête baissée; le corps recroquevillé; un ton de voix bas, presque éteint; de plus longs silences; etc.

En présence d'une personne qui parle peu, il est encore plus important de porter attention à de tels indices. Une fois ces indices détectés, on peut soit les garder en mémoire, soit s'en servir pour vérifier l'état dans lequel se trouve la personne par des questions comme : « Je remarque que vous tremblez légèrement, avez-vous peur de quelque chose? » ou « Je vous sens triste… voulez-vous me parler de ce qui vous arrive? » Il est important aussi de démontrer à la personne aidée qu'on est attentif à elle : par des messages non verbaux (posture, mimiques); par des messages verbaux : incitation légère (hum... hum, oui... oui, je vois...), accentuation (répétition d'un ou deux mots du message de la personne).

Le **tableau 2.6** présente une liste des principaux indices non verbaux observables et l'exercice 2.10 permet de mettre en pratique cette habileté à décoder les indices non verbaux.

Tableau 2.6

Principaux indices non verbaux observables

VISAGE	TÊTE ET ÉPAULES	VOIX ET RESPIRATION
• Contact visuel maintenu • Regard fuyant • Regard fixe • Abaissement des yeux • Froncement des sourcils • Yeux dans l'eau • Sourire • Lèvres serrées • Bouche bée • Grimaces	• Hochement de la tête • Abaissement de la tête • Mouvements de gauche à droite • Haussement des éapules • Les épaules vers l'avant • La tête dans les épaules	• Voix forte • Voix basse • Voix tremblotante • Débit lent • Débit rapide • Débit saccadé • Silence • Respiration haletante • Respiration normale

MEMBRES	POSTURE	POSITION DANS L'ESPACE
• Poignée de mains • Mains qui tremblent • Mains qui bougent • Bras croisés • Jambes croisées • Balancement du pied	• Très droite • Affaissée • Tronc penché vers l'avant • Changeante	• Près de l'autre • Loin de l'autre • Avance / recule

EXERCICE 2.10

En équipe de deux, (ou dans le cadre d'une mise en situation), portez attention aux comportements non verbaux de la personne que vous écoutez.

1) Après l'entretien, notez ce que vous avez observé (**tableau 2.6**).

Christine était souriante, joyeuse, elle se confiait, à l'aise

2) Formulez des hypothèses sur la signification possible de ces différents indices (dans quel état affectif se trouve cette personne).

Elle se trouve bien

RECONNAÎTRE ET DISTINGUER LES ASPECTS INFORMATIF ET AFFECTIF D'UN MESSAGE

Les confidences d'une personne contiennent habituellement deux types de message : le message verbal et le message non verbal. Le message verbal peut être décomposé en deux parties : l'aspect informatif et l'aspect affectif.

L'aspect informatif

> *« Je viens de perdre mon emploi et, à l'âge que j'ai, j'ai peur de ne plus pouvoir trouver de travail. Qu'est-ce que je vais faire? J'ai encore des enfants aux études; je ne peux pas les laisser tomber. Je sais bien que je ne suis pas le seul à qui cela arrive, mais, quand ça vous arrive, c'est épouvantable... »*

L'aspect informatif réfère aux faits, opinions, perceptions, etc., contenus dans les confidences d'une personne. Dans l'extrait d'entretien suivant, nous avons souligné l'aspect informatif du message. L'exercice 2.11 permet de mettre en pratique l'habileté à reconnaître l'aspect informatif d'un message.

EXERCICE 2.11

Pensez aux confidences qu'une personne vous a faites récemment.

1) Écrivez un extrait de ces confidences.

____

____

____

____

____

____

2) Définissez l'aspect informatif contenu dans ces confidences.

▷ INFORMATIONS donnés ds le désordre

____

▷ beaucoups de détails

____

▷ DONNE SES émotions

L'aspect affectif

L'aspect affectif réfère aux sentiments et aux émotions contenus dans les confidences d'une personne. Dans l'extrait suivant, nous avons souligné l'aspect affectif du message.

> *« Je viens de perdre mon emploi et, à l'âge que j'ai, <u>j'ai peur</u> de ne plus pouvoir trouver de travail. <u>Qu'est-ce que je vais faire?</u> J'ai encore des enfants aux études; je ne peux pas les laisser tomber. Je sais bien que je ne suis pas le seul à qui cela arrive, mais, <u>quand ça vous arrive, c'est épouvantable</u>... »*

L'aspect affectif d'un message est souvent plus difficile à détecter et à nommer. Dans l'exemple précédent, le sentiment initial apparaît clairement : la peur. Plus loin, le sentiment devient plus ambigu: s'agit-il d'épouvante, de désarroi, etc.? L'exercice 2.12 permet de mettre en pratique l'habileté à reconnaître l'aspect affectif d'un message

EXERCICE 2.12

Pensez aux confidences qu'une personne vous a faites récemment.

1) Écrivez un extrait de ces confidences.

____

____

____

____

____

____

2) Décrivez l'aspect affectif contenu dans ces confidences.

____

____

____

____

« Je pense que, si ma vie continue comme ça, il va falloir que je prenne des décisions importantes... Ça n'a plus de sens! J'ai l'impression d'être complètement éparpillé! Je cours tout le temps, je ne suis jamais satisfait de ce que je fais, je me sens fatigué... essoufflé... »

L'aspect informatif :

- il va falloir que je prenne des décisions importantes;
- je cours tout le temps.

L'aspect affectif :

- ça n'a plus de sens;
- l'impression d'être complètement éparpillé;
- je me sens fatigué, essoufflé;
- jamais satisfait.

Dans cet exemple, nous distinguons les deux aspects d'un message. L'exercice 2.13 permet ensuite de mettre en pratique cette habileté.

EXERCICE 2.13 (*Corrigé annexe V*)

Dans l'extrait suivant, distinguez les deux aspects d'un message: « Je sais que je n'ai pas de bonnes notes en ce moment; mais, je fais mon possible, dans les circonstances... Je suis continuellement préoccupée par l'état de santé de mon frère. Je ne sais pas ce qui va lui arriver. » (*Pleurs*)

Aspects informatifs:

____

____

____

____

Aspects affectifs:

____

____

____

____

2.3 – DÉMONTRER DE LA COMPRÉHENSION EMPATHIQUE

Pour aider une personne de façon efficace, il faut être capable de bien saisir ce dont elle a besoin et de vérifier cela auprès d'elle. Cette capacité se nomme la « compréhension emphatique ». Démontrer de la compréhension empathique exige de se détacher de soi-même temporairement pour se centrer sur une autre personne, lui accorder toute son attention.

Dans cette partie, nous verrons tout d'abord ce qu'est l'empathie et comment elle peut parfois être difficile à ressentir en raison de certains obstacles qui sont, principalement, le phénomène de la « troisième oreille », la sympathie et le jugement.

Apprendre à faire preuve de compréhension empathique est assez ardu; pour aider les éducateurs et éducatrices, nous proposons de développer les habiletés suivantes: apprendre à percevoir le monde de l'autre, à s'en faire une image mentale et à exprimer ce qu'on a perçu en utilisant les techniques de la reformulation et du reflet, tout en sachant reconnaître les niveaux de compréhension empathique et, enfin, apprendre à favoriser l'expression des sentiments.

L'EMPATHIE

L'empathie est cette capacité de se mettre dans la peau d'une autre personne, de voir la réalité à travers ses yeux et de mettre temporairement en veilleuse sa propre réalité. C'est aussi la capacité de se centrer le plus complètement possible sur l'autre en lui accordant toute son attention. C'est comme si, pendant un moment, la personne aidante était tout ouïe pour l'autre, lui était entièrement disponible.

« Mettre en veilleuse sa réalité » implique de mette de côté sa propre vision de la réalité, ses opinions, ses croyances, ses émotions, ses valeurs pour ne considérer que les opinions, les émotions et les valeurs de l'autre personne. Le schéma suivant (**figure 2.1**) peut aider à faire comprendre ce phénomène.

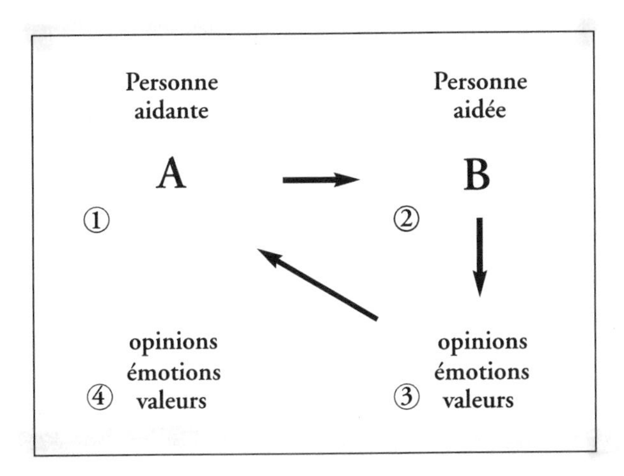

Figure 2.1

Représentation de la compréhension empathique

Pendant qu'elle est à l'écoute de l'autre, la personne aidante met en veilleuse ses opinions, émotions et valeurs (4) pour essayer de voir le monde à travers les yeux de l'autre, pour saisir sa perception de la réalité, ses réactions émotionnelles, ses mécanismes d'adaptation (3). L'exercice 2.14 permet de mettre en pratique l'attitude empathique.

Pour arriver à saisir comment cet homme vit la réalité présente, il faut se défaire de ses schèmes habituels de perception, de ses façons de penser et de réagir et essayer de pénétrer dans l'univers de l'autre, qui est révélé à travers ses confidences. Le **tableau 2.7** (*page suivante*) permet de voir comment la perception de la réalité peut varier d'une personne à l'autre.

Pour distinguer ses propres schèmes de ceux de l'autre, il faut d'abord bien se connaître, savoir comment on vit telle situation, quelle réaction émotive provoque en nous tel événement, quelle opinion nous avons sur un sujet abordé par l'autre. Une bonne connaissance de soi est donc un préalable important pour faire preuve de compréhension empathique.

EXERCICE 2.14

Dans l'extrait de confidences suivant, indiquez ce que vous comprenez de la réalité vécue par cette personne.

Homme âgé de 45 ans, récemment divorcé, vivant seul : « J'ai passé une fin de semaine pénible. Je n'ai vu personne… J'ai trouvé le temps très long. Personne ne m'a téléphoné. Que c'est plate! J'espère que ça va changer… Je n'en peux plus de vivre ce genre de situation. »

Votre compréhension :

____

____

____

____

____

Tableau 2.7

Distinction possible entre les schèmes de la personne aidante et ceux de la personne aidée (homme de 45 ans)

SCHÈMES DE LA PERSONNE AIDANTE	SCHÈMES DE LA PERSONNE AIDÉE
• Le divorce est la pire expérience à vivre • La fin de semaine, c'est pour se reposer, tranquille, chez soi • Je ne m'ennuie jamais; j'ai toujours quelque chose à faire • J'aime bien être seul • Etc.	• J'ai peur de faire de nouveaux contacts • La fin de semaine est le seul moment où je peux rencontrer des gens • J'ai besoin de gens autour de moi, sinon je ne fais rien • Je déteste la solitude • Etc.

Le chemin de la compréhension empathique est parsemé d'obstacles que la personne aidante devra apprendre à reconnaître et à éviter. Les obstacles les plus souvent rencontrés sont les suivants : le phénomène de la « troisième oreille », la sympathie et le jugement.

Le phénomène de la « troisième oreille »

Une jeune femme confie qu'elle vient de rompre avec son amoureux. Leur relation durait depuis un an. Elle a découvert subitement qu'il lui racontait toutes sortes d'histoires, qu'il la trompait, que certains évé-nements qui lui étaient arrivés avaient été inventés de toutes pièces.

Pendant qu'elle se confie, des images d'une expérience semblable remontent à la mémoire de la personne aidante et elle commence à revoir sa propre expérience. Puis, elle reprend contact avec l'autre mais retourne dans ses souvenirs sans même s'en rendre compte, après quelques instants. Cette séquence se répète à quelques reprises.

Pendant qu'elle pense à cette expérience passée, elle n'est plus centrée sur l'autre personne mais est centrée sur elle-même, pour être à l'écoute de ce qui la touche ou la préoccupe, de ce qui se passe en elle. Une « troisième oreille », située à l'intérieur d'elle-même, entre alors en opération. La **figure 2.2** illustre ce phénomène.

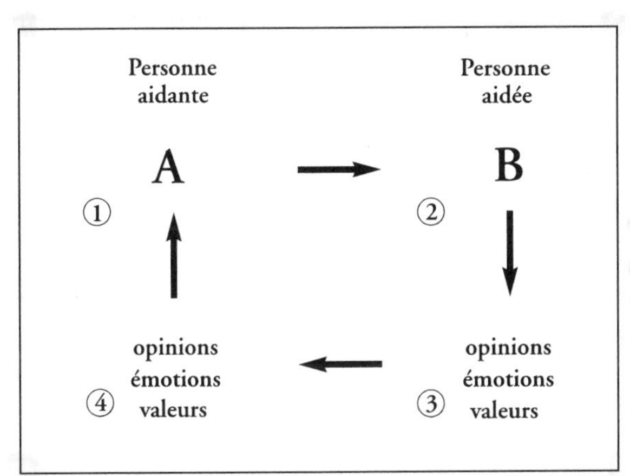

Figure 2.2

Le phénomène de la « troisième oreille »

Lorsqu'une pers. ns parle et cela ns rappelle une histoire qu'on a vécu, on décroche.

En 3 et 4, on retrouve le phénomène de la « troisième oreille » : des opinions, émotions ou valeurs de la personne qui se confie font remonter à la surface une expérience chez la personne aidante, réveillent en elle des souvenirs; elle perd alors contact avec l'autre, ce qui fait que la relation d'aide est interrompue ou perturbée.

Une multitude d'expériences incluses dans les confidences d'une personne peuvent déclencher le phénomène de la « troisième oreille ». Si ces expériences n'amènent que des coupures de communication passagères, les effets sur la relation d'aide seront à peine perceptibles. Si, par contre, elles amènent une coupure prolongée, la personne aidée percevra le bris de la communication et il faudra clarifier la situation.

Il est inévitable, pour une personne aidante, de rencontrer ce phénomène un jour ou l'autre. L'important est d'en garder le contrôle et de ne pas le laisser empiéter sur la relation.

La sympathie

Il est naturel de partager les sentiments d'une personne qui nous touche, de nous réjouir, de pleurer avec elle, de ressentir la colère qui l'habite. Si, par exemple, un ami est triste, en raison de la perte d'un être cher et qu'il se met à pleurer, on sent la tristesse monter en soi et l'envie de pleurer avec lui. Ce partage de sentiment, c'est ce qu'on appelle couramment la « sympathie ».

Le sentiment de sympathie peut nuire à la compréhension empathique. En effet, en partageant trop intimement les sentiments de l'autre, on perd la distance nécessaire pour être en mesure de bien voir sa réalité et de bien cerner ses difficultés. De plus, on est alors en contact direct avec ses propres émotions, ce qui décentre du monde affectif de l'autre. Si les émotions prennent le dessus sur le jugement et le discernement, il devient presque impossible d'établir une bonne relation d'aide.

La sympathie n'est pourtant pas à proscrire, surtout si la personne aidante se sent particulièrement touchée par les confidences de l'autre. L'important est de ne pas perdre le contrôle de ses émotions, de se reprendre en main assez rapidement.

Le jugement

Dans le cadre d'une relation interpersonnelle, porter un jugement consiste à apprécier, à évaluer les comportements, les idées, les expériences, les réactions émotionnelles d'une autre personne; c'est en quelque sorte une forme d'approbation ou de désapprobation de ce qu'elle est, de ses actions. L'action de juger se fait habituellement à partir des critères de la personne qui juge.

> *Une personne me confie*: « J'ai peur de parler devant mon groupe classe… J'ai déjà fait rire de moi… »
>
> *Réplique (jugement)*: « Allons, c'est niaiseux d'avoir peur comme ça; les autres ne te mangeront pas. Tu n'es plus un bébé! Vas-y, lance-toi! »

Une personne qui se sent jugée adopte une attitude défensive, elle se méfie, cherche à se protéger. En fait, elle se ferme, elle ne veut pas se laisser connaître.

La compréhension empathique est tout le contraire du jugement. La personne qui juge est centrée sur elle-même, sur ses propres critères; le vécu de l'autre ne compte pas à ses yeux. Voir l'exemple de réponse sous-entendant un jugement à la page précédente.

LA COMPRÉHENSION EMPATHIQUE

La compréhension empathique comprend deux étapes: la perception et l'expression. La personne aidante est d'abord sensible à ce que vit l'autre et essaie de le décoder, le comprendre (perception). Puis, elle fait part à l'autre de ce qu'elle a saisi de son message (expression).

1) La perception

L'habileté à bien percevoir le besoin d'autrui demande de tenir compte de différents aspects du message livré. Voici quatre exigences conduisant à la perception la plus complète possible d'un besoin.

1) Écouter et comprendre les confidences d'une personne; se faire une idée de sa situation, de ses affects, de ses perceptions

2) Identifier le ou les sentiments exprimés

3) Évaluer l'intensité du ou des sentiments exprimés

4) Préparer mentalement une reformulation des confidences

Dans l'exemple suivant, on peut voir le résultat du travail de perception de la personne aidante par sa compréhension du message verbal, son identification des sentiments exprimés et de leur intensité et par son analyse de la situation qui lui permet de reformuler le problème exprimé par l'autre. L'exercice 2.15 permet de mettre en pratique la travail de perception de la personne aidante.

Extrait des confidences d'une jeune adolescente:

« Je n'ai plus envie d'aller à l'école. Je me sens... (*pleurs abondants*). C'est comme si je n'avais plus ma place depuis que nous sommes revenus de l'étranger. J'ai le goût de tout lâcher... Même si tout le monde me dit que je devrais continuer, que tout va s'arranger... »

(suite au verso)

1) **compréhension :** *depuis son retour de l'étranger, cette adolescente n'arrive plus à se faire une place dans son école et cela la décourage; elle subit les pressions de son entourage.*
2) **sentiments exprimés :** *tristesse, légère dépression, découragement.*
3) **intensité des sentiments :** *les pleurs, l'expression du visage, etc. font croire que cette personne est grandement affectée par la situation.*
4) **exemple de reformulation mentale :** *« Tu as le goût de lâcher l'école; c'est comme si tu n'avais plus ta place et ça te décourage… »*

EXERCICE 2.15 Développer sa capacité de percevoir

1) Écrivez un extrait des confidences qu'une personne vous a faites récemment.

____
____
____
____
____
____
____
____
____
____
____
____
____
____

2) Faites l'analyse de cet extrait en répondant aux exigences de la perception empathique.

(suite page suivante)

EXERCICE 2.15 (*Suite*)

- Compréhension :

____

____

____

- Sentiments exprimés :

____

____

- Intensité des sentiments :

____

____

- Reformulation mentale :

____

____

2) L'expression

L'expression consiste à faire part à l'autre de ce qu'on a perçu dans ses confidences. Pour ce faire, la personne aidante peut utiliser deux moyens : la reformulation et le reflet. Son niveau de compréhension peut plus ou moins correspondre à ce que vit la personne aidée et c'est en étant attentive à celle-ci qu'elle pourra améliorer sa compréhension de la situation.

Pour développer la capacité d'expression empathique, deux aspects peuvent être travaillés : l'aspect technique (reformulation et reflet) et les niveaux de compréhension.

L'aspect technique

Définissons d'abord la reformulation et le reflet. La reformulation porte à la fois sur le contenu informatif (idées, événements, opinions) et le contenu affectif (émotions, sentiments) des confidences d'une personne alors que le reflet porte uniquement sur le contenu affectif. Voici un exemple :

« Je n'ai pas hâte de revenir à la maison ce soir! Mon mari m'a fait des menaces et j'ai peur de ses réactions! Je me demande bien ce qui va se passer… » (*Voix basse, mains qui tremblent*).

Reformulation : « Le retour à la maison vous inquiète en raison des menaces de votre mari… »

Reflet : « Vous êtes inquiète? »

Pour que les reformulations et les reflets soient les plus adéquats possible, il faut se baser aussi sur les messages non verbaux et non seulement sur ce qui est exprimé verbalement. Les exercices 2.16 à 2.18 permettent de mettre en pratique ces techniques.

EXERCICE 2.16 *(Corrigé annexe V)*

Rédigez une reformulation et un reflet à partir de l'extrait suivant.

Étudiante de 18 ans: « Je trouve difficile ce qui m'arrive présentement… On dirait que tout me tombe sur la tête en même temps. J'ai parfois l'impression que je vais devenir folle! Je ne sais pas si je vais être capable de tenir le coup bien longtemps… » (*regard fuyant, tourne la tête de gauche à droite, serre les poings*).

Reformulation :

____

____

____

____

____

____

Reflet :

____

____

____

____

____

____

EXERCICE 2.17

Rédigez une reformulation et un reflet à partir de l'extrait suivant.

Homme de 40 ans: « En raison de ma paralysie, je ne peux plus faire grand-chose! Qu'est-ce que je vais devenir? Je ne suis plus vraiment un homme... et que va-t-il arriver avec ma femme? » (*Baisse les yeux, se penche vers l'avant, a la voix basse*).

Reformulation :

____

____

____

____

____

____

Reflet :

____

____

____

____

____

____

EXERCICE 2.18

Rédigez une reformulation et un reflet à partir de l'extrait suivant.

Femme de 35 ans: « Je veux changer de psychiatre; celui que je vois, je ne lui fais pas confiance. Mais, c'est difficile! Dans ces milieux-là, on dirait qu'on ne vous considère pas; on ne veut pas nous écouter... » (*voix forte, haussement des épaules*).

(Suite au verso)

EXERCICE 2.18 (*Suite*)

Reformulation :

____

____

____

____

Reflet :

____

____

____

____

Les niveaux de compréhension

Pour évaluer le degré de compréhension empathique, on peut procéder par l'utilisation de niveaux servant à établir la correspondance ou l'écart qui existe entre les confidences de la personne aidée et ce que la personne aidante en a saisi. On pourrait établir une multitude de niveaux de compréhension différents, cependant, pour simplifier, on peut se servir de trois niveaux qui permettent de bien se situer.

- NIVEAU 1 : la personne aidante minimise la profondeur des confidences reçues; sa compréhension de ce que l'autre lui communique est limitée.
- NIVEAU 2 : la personne aidante reformule exactement ce que l'autre lui confie; l'écart est nul.
- NIVEAU 3 : la compréhension de la personne aidante dépasse ce que la personne aidée exprime; c'est comme si elle lisait entre les lignes, devinait le message à peine dévoilé.

L'exemple suivant illustre chacun des niveaux de compréhension du message exprimé et l'exercice 2.19 permet de mettre en pratique la compréhension des différents niveaux.

« Je viens d'apprendre que mon voisin a fait des attouchements sexuels sur ma fille de 13 ans. J'ai envie de le tuer! Comment a-t-il pu faire ça? C'est ça un ami? Mais j'ai quand même des doutes. Est-ce vraiment possible? A-t-elle pu me raconter des histoires? »

- **Niveau 1** : « Vous pensez que ce n'est pas vrai, que votre fille raconte des histoires... »
- **Niveau 2** : « Le fait d'apprendre cela vous a mis en colère, mais, en même temps, vous n'êtes pas sûre que ce soit vrai... »
- **Niveau 3** : « Vous avez de la difficulté à croire que ce soit vrai... du moins, vous aimeriez autant ne pas le croire... »

EXERCICE 2.19 *(Corrigé annexe V)*

Formulez une réponse empathique.

Adolescente de 16 ans : « Ma mère fait souvent des dépressions et, dans ce temps-là, elle n'est pas endurable. Je me demande si elle va être guérie un jour. Tout cela m'inquiète! Au fait, est-ce que ça se guérit? Est-ce qu'on en connaît les causes? »

- **Niveau 1 :**

____

____

____

- **Niveau 2 :**

____

____

____

- **Niveau 3 :**

____

____

____

FAVORISER L'EXPRESSION DES SENTIMENTS

Une des premières difficultés importantes que rencontre un éducateur ou une éducatrice dans un processus d'aide est de composer avec les sentiments de la personne qui demande de l'aide, de bien les cerner, d'en favoriser l'expression et de ne pas se laisser envahir par la charge affective.

Les sentiments font très souvent peur! Généralement dotée d'une grande sensibilité, la personne aidante perçoit très fortement la présence d'un sentiment quelconque chez l'autre et elle se demande comment faire pour l'aider à s'en libérer. Quelle forme prendra l'expression du sentiment? Pleurs? Agressivité? La personne sera-t-elle capable d'en garder le contrôle? Pour vraiment aider une personne, l'éducateur ou l'éducatrice doit être capable de faire face à la situation qui se présentera puisque la libération de la charge affective va permettre à la personne en difficulté d'avoir ensuite accès à ses capacités de raisonner, de juger et de trouver des solutions pour arriver à régler ses problèmes.

Pour développer cette compétence, on doit d'abord apprendre à stimuler l'expression des sentiments chez une personne qui a peur de se laisser aller et être capable de recevoir les sentiments de cette personne sans les partager, sans sympathiser, sans se laisser envahir.

Stimuler l'expression des sentiments

Une personne qui a besoin d'aide psychologique se retrouve très souvent incapable de faire part des sentiments qu'elle vit ou encore ses sentiments sont exprimés de façon inappropriée ou insatisfaisante. Un aidant ou une aidante doit être capable de l'amener à exprimer ses sentiments pour qu'elle se libère de la tension qui l'accable.

L'expression des sentiments doit être favorisée au début de la relation et à chacune des étapes, lorsque la personne aidée en ressent le besoin. Favoriser l'expression des sentiments chez une personne inhibée ou qui a peur de se laisser aller est une démarche hasardeuse et qui peut réserver des surprises, de là l'importance d'être à l'aise avec le monde des émotions et de bien connaître ses propres réactions émotionnelles (*voir l'annexe II*).

Comment encourager l'expression des sentiments?

1) D'abord, il faut observer attentivement les mimiques, les gestes, les postures, les intonations de la personne en face de soi; ces indices mettent habituellement sur la piste de ses sentiments.

2) Refléter verbalement à la personne ce qu'on perçoit d'elle.

Voici un exemple d'interventions suscitant l'expression des sentiments.

> *La personne en face de vous ne parle pas; au bout de quelques minutes, elle commence à trembler de tout son corps et se recroqueville... Le tremblement peut vous indiquer plusieurs pistes à suivre : a-t-elle froid? a-t-elle peur? etc. Choisissez une première piste et vérifiez-la : « Je remarque que vous tremblez... Avez-vous peur de quelque chose? » La personne continue à vous regarder avec de grands yeux; votre piste semble bonne! Continuez à lui parler du sentiment que vous percevez chez elle : « Pouvez-vous me parler de ce qui vous fait peur? »*

Des jeux de rôles (*voir l'annexe IV*) bien choisis et bien menés fournissent aux futurs éducateurs et éducatrices des occasions de tester le niveau de leurs capacités à stimuler l'expression des sentiments et de les améliorer. Les mises en situation doivent se rapprocher le plus possible de situations réellement rencontrées en entrevue; une fois ces situations bien décrites, le formateur les met en scène, départage les rôles et met en branle le jeu de rôles.

L'enregistrement sur bande vidéo permet de reprendre les séquences du jeu de rôles, de les analyser et donne la possibilité de se voir en action et ainsi d'améliorer sa performance.

Recevoir les sentiments de l'autre sans les partager

Favoriser l'expression des sentiments implique que la personne aidante garde une distance affective par rapport à ce que vit la personne aidée. Cela peut se faire en évitant de sympathiser : pleurer avec une personne ne l'aide pas vraiment, se fâcher en même temps qu'elle ne lui est pas d'un grand secours non plus. Le contrôle émotionnel prend alors toute son importance.

Bien sûr, garder une distance affective ne veut pas dire rester froid et impassible. Il est important que la personne aidée se sente comprise et c'est à travers un regard, un geste ou une parole bienveillante qu'elle le percevra. Le grand défi pour la personne aidante est de garder un contact affectif chaleureux sans se laisser envahir par les émotions de l'autre : la frontière peut devenir très ténue entre les deux personnes et le tourbillon émotionnel de plus en plus fort et attirant. Il faut résister à cette attirance si l'on veut être en mesure de faire preuve de jugement et de discernement afin de poursuivre la démarche d'aide.

LABORATOIRE

Le présent laboratoire a comme objectif de développer la capacité à démontrer de la compréhension empathique.

CONTEXTE DE RÉALISATION

Un jeu de rôles (*voir l'annexe IV*) impliquant un aidant et un aidé; les autres membres du groupe agissent en tant qu'observateurs. Ces derniers ont à leur disposition une grille d'observation, dont un modèle est présenté à la page suivante (**tableau 2.8**).

*

L'enregistrement sur vidéo du jeu de rôles peut être utile pour faire ressortir les principaux aspects de l'empathie, les obstacles rencontrés, les exemples de reformulation et de reflet ainsi que les niveaux de compréhension atteints.

*

Une fois le jeu de rôles terminé, le professeur demande aux observateurs et aux observatrices de faire part au groupe des comportements adoptés par la personne aidante et suscite l'analyse de ces comportements.

Tableau 2.8

Exemple de grille d'observation pour évaluer la capacité de compréhension empathique

MESSAGES VERBAUX ET NON VERBAUX DE LA PERSONNE AIDÉE	COMPORTEMENTS DE LA PERSONNE AIDANTE		
	Reformulation	Reflet	Niveau d'empathie
Je suis tout mêlé; je ne sais plus où donner de la tête... (se tient la tête entre les mains)		Vous vous sentez désorienté	2
Je ne sais plus par où commencer... quoi régler: le travail, les amours...	Vous avez tellement de choses régler que vous ne savez plus ce qui est le plus important...		3
Etc.			

2.4 – FAIRE SPÉCIFIER LE BESOIN

Les confidences d'une personne contiennent souvent des généralisations, des termes imprécis qui peuvent être interprétés de multiples façons. Ainsi, une personne peut dire : « Je me trouve tellement stupide d'avoir agi ainsi » ou encore « Dans la classe, tout le monde m'en veut », etc. En entendant ces propos, on se demande ce que cette personne a fait réellement, à qui elle fait allusion quand elle dit « tout le monde », comment les gens agissent à son égard.

Pour arriver à avoir une idée claire du problème vécu, il faut amener la personne à préciser les événements rapportés, les opinions émises, les perceptions, les sentiments exprimés. Cette démarche peut se faire au moyen de questions (qui? quoi? où? comment? pour quelle raison?); il faut éviter de demander « pourquoi » parce que cela amène habituellement une personne à se justifier.

La reformulation-synthèse est également une technique utile : elle consiste à reprendre l'essentiel des confidences d'une personne et à les lui communiquer en lui demandant de préciser un aspect particulier. Exemple : « Vous me dites que ça ne va pas très bien à l'école présentement, mais votre principal souci est plutôt l'état de santé de votre frère. Pouvez-vous me parler un peu de ce qui vous préoccupe dans l'état de santé de votre frère? »

Dans cette partie, nous proposons des pistes pour développer la capacité à faire spécifier un besoin en sachant poser des questions, choisir le meilleur moment pour poser une question et faire des reformulations-synthèses.

POSER DES QUESTIONS

Les questions doivent viser à mieux comprendre un problème; deux types de question sont à privilégier: la question ouverte et la question fermée. L'exercice 2.20 permet d'approfondir cet aspect.

La question ouverte

> *« Je pense que, si ma vie continue comme ça, il va falloir que je prenne des décisions importantes... »*
>
> **Question ouverte :** *« Pouvez-vous me parler de ce que vous vivez actuellement? »*

Ce type de questions vise à amener une personne à développer davantage un sujet, à compléter une confidence déjà amorcée. La formulation d'une telle question doit être suffisamment vague tout en suggérant une piste à poursuivre.

La question fermée

> *« Je viens de perdre mon emploi et, à l'âge que j'ai, j'ai peur de ne plus pouvoir trouver de travail. »*
>
> **Question fermée :** *« Quel âge avez-vous? »*

Ce type de question vise à obtenir des informations précises ou à faire clarifier une information déjà donnée. La réponse obtenue prend souvent la forme d'un « oui » ou d'un « non ».

CHOISIR LE MOMENT PROPICE POUR POSER UNE QUESTION

Il est difficile de dire quel est le meilleur moment pour poser une question. Quelques balises peuvent cependant aider à faire ce choix.

En relation d'aide, il est important de respecter le plus possible le rythme de la personne et de profiter des moments de silence. Un silence permet habituellement de reprendre son souffle et de réfléchir, de faire le ménage dans ses idées. Après ce moment, la personne aidée poursuit les confidences qui permettent de mieux la connaître. Si le silence est interrompu par une question, le rythme risque d'être brisé, surtout si la question posée engage la personne sur une autre piste.

EXERCICE 2.20 (*Corrigé annexe V*)

À partir de l'extrait d'entretien suivant :

« Je ne sais pas quoi faire! J'ai postulé à deux emplois; je ne pensais jamais être engagée! Mais, voilà! Les deux veulent m'engager. Qu'est-ce que je vais faire? »

1) Formulez une question ouverte.

____

____

____

____

____

2) Formulez une question fermée.

____

____

____

____

____

Il est souvent préférable de poser des questions fermées quand la personne s'exprime sur un sujet; un complément d'information sur le sujet est alors plus facile à obtenir et cela ne distrait pas trop la personne.

Les questions ouvertes sont pertinentes pour amener la personne aidée à se centrer sur des aspects importants de son vécu; elles peuvent être posées lors d'un silence ou à la suite d'une reformulation.

Il faut éviter de poser de nombreuses questions; il est préférable d'attendre que la personne aborde d'elle-même un sujet. Avec un peu de patience, on arrive à accumuler suffisamment d'informations pour se faire une idée claire du besoin de la personne et ainsi être en mesure de poursuivre le travail d'aide.

Quelques balises :

1) Respecter le rythme de la personne

2) Respecter les moments de silence

3) Poser des questions fermées quand un sujet est abordé

4) Poser des questions ouvertes à la suite d'une reformulation

5) Éviter de poser de nombreuses questions

Les questions posées doivent surtout amener la personne aidée à voir plus clair en elle et non la personne aidante à satisfaire sa propre curiosité. On peut être enclin spontanément à vouloir savoir ce qui se passe dans la vie d'une autre personne; cette habitude peut inciter à poser de nombreuses questions et à oublier le but de l'entretien. L'exercice 2.21 permet une réflexion sur les questions et leur place dans l'entretien.

LA REFORMULATION-SYNTHÈSE

La technique de la reformulation a déjà été présentée plus tôt. Cette technique permet à la personne aidante de faire savoir à la personne aidée ce qu'elle comprend de ses propos. Plus l'entrevue avance, plus il est important d'arriver à cerner précisément le besoin de la personne. Déjà, après quelques minutes d'écoute, l'image du besoin commence normalement à se profiler; il est alors temps de synthétiser l'essentiel des confidences de l'autre pour s'assurer d'être dans la bonne voie. Il est bon aussi de vérifier sa compréhension du problème à l'aide de questions. L'exemple suivant illustre cette habileté et l'exercice 2.22 permet de la mettre en pratique.

«Je suis inquiète au sujet de mon fils! Depuis quelque temps, il ne fait rien, n'a plus d'intérêt pour ses études; il sort la nuit et dort le jour. C'est le monde à l'envers! J'ai l'impression par moments qu'il est dépressif... J'ai peur... (*pleurs*) Ça me tracasse beaucoup, je me demande s'il pense à de mauvaises choses... J'ai l'impression qu'il n'est pas heureux...»

Reformulation-synthèse: «Vous êtes beaucoup préoccupée par les comportements actuels de votre fils et vous avez l'impression qu'il n'est pas heureux.»

Vérification: «Pouvez-vous me dire ce qui vous tracasse en particulier?»

EXERCICE 2.21

- Écoutez une personne en étant attentif aux moments où vous posez des questions.
- Notez ces questions, après l'entrevue.
- Faites-en l'analyse en vous guidant sur les balises suivantes :

1) Vos questions sont-elles surtout ouvertes ou fermées?

____

____

____

____

2) Sont-elles orientées vers les faits ou le vécu subjectif de la personne?

____

____

____

____

3) Visent-elles à faire préciser les confidences de la personne?

____

____

____

____

4) Votre curiosité personnelle est-elle en cause?

____

____

____

____

EXERCICE 2.22 (groupe de deux)

À tour de rôle, placez-vous dans la position de la personne aidante et dans celle de la personne aidée.

En tant que personne aidée, confiez à l'autre un problème ou une préoccupation que vous avez présentement.

En tant que personne aidante, écoutez l'autre pendant quelques minutes et tentez de reformuler l'essentiel de ses confidences; vérifiez si votre synthèse correspond bien aux propos de l'autre; essayez de définir son besoin.

Reformulation-synthèse :

____

____

____

____

____

____

____

Vérification :

____

____

____

____

Définition du besoin :

____

____

____

____

LABORATOIRE

Le présent laboratoire a comme objectif de développer la capacité à faire spécifier un besoin.

CONTEXTE DE RÉALISATION

Un jeu de rôles (*voir l'annexe IV*) impliquant un aidant et un aidé; les autres membres du groupe agissent en tant qu'observateurs. Ces derniers ont à leur disposition une grille d'observation, dont un modèle est présenté à la page suivante (**tableau 2.9**).

*

Une fois le jeu de rôles terminé, le professeur s'adresse aux observateurs pour faire ressortir les aspects spécifiés et non spécifiés de même que les principales techniques utilisées.

Tableau 2.9

Exemple de grille d'observation pour évaluer la capacité à faire spécifier un besoin

MESSAGES DE L'AIDÉ	RÉPONSES DE L'AIDANT	ASPECTS SPÉCIFIÉS	ASPECTS NON SPÉCIFIÉS	TECHNIQUES UTILISÉES
• «Je ne vois pas ce que l'avenir me réserve...»	aucune		x	
• «Si au moins je savais ce que veux...»	• «Avez-vous une idée de ce que vous voulez?»	x		Question ouverte
• Etc.				

2.5 – AMENER LA PERSONNE À RECONNAÎTRE ET À ACCEPTER SON BESOIN

Comme on l'a vu précédemment, pour vaincre une difficulté, combler un besoin, il faut d'abord le définir, puis reconnaître qu'on a un problème à régler, un besoin à assouvir. Cela n'est pas toujours facile. Pour amener une personne à faire face à une situation, l'intervenant aura à utiliser la confrontation.

Confronter est une des interventions les plus difficiles à faire en relation d'aide. Elle implique que le lien de confiance soit suffisamment solide pour servir de contrepoids aux perturbations qu'elle engendre. Les risques sont nombreux; cela peut créer un froid entre les deux personnes, amener la personne aidée à confronter la personne aidante et, à la limite, mettre un terme à la relation d'aide.

Créer un froid entre la personne aidante et la personne aidée

Cette réaction est presque inévitable. Depuis le début de la relation, la personne aidante a démontré beaucoup de compréhension, d'écoute et a suivi le rythme de l'autre, qui s'est senti apprécié, respecté dans ce qu'il vivait. Saisissant maintenant clairement le besoin de l'autre, la personne aidante est en mesure de lui dire, de lui faire prendre conscience peut-être de son besoin, de lui faire voir qu'elle l'a bien écouté et compris.

La révélation du besoin peut être confrontante pour la personne, difficile à accepter. Il est normal qu'elle se sente un peu surprise par cette nouvelle attitude et y réagisse en prenant une certaine distance.

Amener la personne aidée à confronter la personne aidante

La confrontation peut se retourner contre la personne aidante, comme si la personne aidée voulait contre-attaquer ou simplement détourner l'attention sur autre chose que sur son problème. Il s'agit d'une réaction naturelle, d'un mécanisme d'autoprotection.

Mettre un terme à la relation d'aide

Il est possible que la personne aidée refuse la confrontation et qu'elle décide de mettre un terme à la relation d'aide. Cette rupture peut être temporaire ou définitive. La décision lui appartient. La personne aidante peut cependant lui indiquer qu'elle sera toujours la bienvenue si jamais elle voulait revenir.

Confronter consiste à amener la personne aidée à reconnaître et à accepter le problème qu'elle vit puis à rechercher avec elle des amorces de solutions. C'est amener la personne à reconnaître qu'elle veut changer et qu'elle est prête à le faire. Le changement engendre habituellement des résistances, dues à la peur de l'inconnu et aux efforts qui devront être déployés pour mettre les nouveaux comportements en place. La personne aidante devra être capable de reconnaître ces résistances et de travailler à les faire disparaître.

Pour confronter une personne à son problème, l'aidant doit être capable :

1) De bien cerner l'objet de la confrontation

2) De choisir le moment propice pour confronter

3) D'amener la personne à reconnaître son problème

4) De contrer les résistances de la personne et de rechercher avec elle des amorces de solutions

BIEN CERNER L'OBJET DE LA CONFRONTATION

Dans cette partie, nous verrons ces divers aspects de l'habileté à confronter. Il est préférable que la confrontation porte sur un aspect précis; l'objet de la confrontation doit être bien clair pour la personne aidante et il doit représenter le nœud du problème apporté par la personne en difficulté.

On peut confronter quelqu'un en relevant les discordances entre le verbal et le non verbal (ex. : « Vous me dites que ça ne vous touche pas, alors que vous hésitez et regardez ailleurs lorsque vous en parlez... »). On peut aussi le faire en remettant en question ses perceptions, en soulignant ses forces non utilisées, en faisant appel à ce qui se passe au moment présent dans la relation d'aide (implication de la personne, réactions face à la personne aidante). L'exemple qui suit permet d'illustrer le processus de définition de l'objet de confrontation et l'exercice 2.23 permet de mettre en pratique cette habileté.

Jeanne se retrouve, pour la troisième fois, dans une maison d'hébergement pour femmes victimes de violence. Elle subit cette violence depuis plus de dix ans. Après les deux premiers séjours à cette maison, elle se disait prête à ne plus retourner avec son mari, même si elle affirmait l'aimer encore.

On pourrait croire, de prime abord, que le nœud du problème est la violence vécue par Jeanne. Par contre, c'est la troisième fois qu'elle quitte son foyer, ce qui nous permet d'imaginer que le nœud du problème semble plutôt se trouver ailleurs. D'où vient son ambivalence? Pourquoi part-elle et revient-elle? Est-ce l'amour qui la retient? Est-ce l'insécurité? Est-ce la honte? Ce genre de questions nous amène à croire que la confrontation devrait porter sur l'hésitation de Jeanne, sur les raisons qui motivent son manque de détermination.

EXERCICE 2.23

1) Résumez les confidences qu'une personne vous a faites récement.

____

____

____

____

____

____

____

____

____

____

EXERCICE 2.23 (*Suite*)

2) Relevez les contradictions que cette personne entretient dans l'expérience qu'elle vous confie.

3) Définissez un objet de confrontation possible.

4) Formulez une confrontation.

CHOISIR LE MOMENT PROPICE POUR CONFRONTER

Une fois que l'aidant comprend clairement les difficultés vécues par une personne, le moment est venu de vérifier si cette personne reconnaît les mêmes difficultés et si elle veut tenter de les résoudre. Cette vérification peut être introduite en faisant une reformulation-synthèse. Voyons un exemple.

> MARCEL : Vous venez de quitter votre foyer pour la 3e fois et vous vous dites déterminée à ne plus y retourner. Vous aimez encore votre mari, mais ça n'a plus de sens pour vous de vivre dans ce climat de violence. Êtes-vous vraiment prête à quitter votre mari?

Si Jeanne est vraiment rendue à cette étape, si elle se sent bien déterminée à agir, elle réagira favorablement à la confrontation. Par contre, si elle hésite, si elle remet en question les propos de Marcel, il est alors préférable de respecter son rythme et de l'accompagner là où elle est rendue.

Il ne sert à rien de forcer la porte, de mettre trop de pression; ce geste risque d'accroître la résistance, de faire reculer la personne et de briser le lien de confiance.

AMENER LA PERSONNE À RECONNAÎTRE SON PROBLÈME

Lorsque la personne aidante cerne précisément le problème actuel de la personne en difficulté, elle peut tenter de l'amener à reconnaître ce problème. Ce n'est pas toujours chose facile : il faudra souvent composer avec les résistances de la personne.

Reconnaître un problème suppose qu'on soit prêt à le considérer, à en parler ouvertement, à le décortiquer, à l'analyser et peut-être à explorer de nouvelles facettes de soi qui peuvent être agréables ou désagréables, bref à naviguer vers des avenues inconnues. Ce n'est pas toujours le cas. La personne aidée peut adopter une attitude défensive quand on fait allusion trop directement à son problème alors qu'elle a de la difficulté à y faire face. Voyons un exemple de réaction de résistance.

> MARCEL : Avez-vous peur de quelque chose?
>
> JEANNE : Si vous étiez à ma place, vous auriez sûrement peur vous aussi... Mon mari est vraiment très violent lorsqu'il se fâche, on dirait qu'il n'est plus lui-même. Je ne le reconnais plus!

La confrontation amène souvent la personne aidée à interpeller la personne aidante, à lui relancer la balle, à la confronter à son tour. C'est le cas dans l'exemple. C'est comme si elle se sentait attaquée par l'intervention de l'autre. En réalité, il s'agit là d'un mécanisme de défense normal. Lorsque quelqu'un nous dit une vérité « en pleine face », notre première réaction est souvent de contre-attaquer, d'essayer de l'indisposer. Pour amener une personne à reconnaître son problème, il faudra que la personne aidante réussisse à contrer ce genre de résistances.

CONTRER LES RÉSISTANCES DE LA PERSONNE

Plusieurs comportements peuvent être associés au phénomène de la résistance; les plus fréquents sont les suivants :

- Nier la réalité;
- Refuser de parler;
- Minimiser un problème;
- Manifester de l'agressivité;
- Changer le sujet de la conversation;
- Interrompre l'échange;
- Oublier de se présenter à un rendez-vous;
- Remettre un rendez-vous;
- Ne plus donner signe de vie.

Cependant, quand l'intervenant est sûr d'avoir bien cerné le nœud d'un problème, il ne faut pas qu'il hésite à en faire part à la personne aidée malgré la prévisibilité des réactions de résistance. Si elle manifeste un comportement de résistance, il est important de bien observer ce comportement et de respecter le fait que la personne ait besoin d'agir ainsi. On peut également, si la situation s'y prête, lui faire remarquer le comportement qu'elle adopte, face au nœud de son problème.

Dans l'exemple à la page suivante, la résistance de la personne s'estompe graduellement et elle commence à accepter de regarder en face le nœud de son problème actuel. La ténacité et la fermeté de la personne aidante la rassurent et l'amènent à affronter ce qu'elle vit présentement.

MARCEL – Vous me dites que vous avez peur de votre mari et, pourtant, vous êtes retournée vers lui à deux reprises. Qu'est-ce qui vous fait agir ainsi?

JEANNE – J'espère toujours qu'il va changer. Il me dit qu'il a changé, qu'il est maintenant capable de se contrôler. Il me demande de retourner avec lui. Il me dit qu'il m'aime...

MARCEL – Et vous le croyez?

JEANNE – Je ne peux pas faire autrement. C'est plus fort que moi!

MARCEL – Vous n'avez pas de contrôle là-dessus? Et vous, l'aimez-vous encore?

JEANNE – Je ne sais plus! Des fois, je trouve que ça n'a pas de bon sens de retourner avec quelqu'un qui me fait du mal.

MARCEL – Alors, qu'est-ce qui fait que vous retourniez quand même vers lui?

JEANNE – Je ne supporte pas l'idée de me retrouver seule et surtout d'avoir échoué...

MARCEL – C'est surtout ce sentiment d'échec qui est difficile à supporter pour vous.

RECHERCHER AVEC LA PERSONNE DES AMORCES DE SOLUTIONS

La démarche de confrontation a amené la personne à se centrer sur elle-même et à reconnaître les conditions dans lesquelles elle vit. Elle a moins peur maintenant de regarder en face ce qui lui arrive et elle est prête à chercher les solutions, les gestes qu'elle pourrait poser pour améliorer sa qualité de vie, pour régler ses difficultés.

La personne aidante doit toujours se rappeler que la personne aidée est la mieux placée pour trouver des solutions adéquates à ses problèmes; avec un peu de soutien, c'est elle qui sera en mesure de faire cette recherche et d'évaluer l'impact possible des solutions trouvées. L'exercice 2.24 permet de mettre en pratique l'habileté à définir l'objet de la confrontation, à prévoir les réactions de résistance et à soutenir une personne dans la recherche de solutions à son problème.

EXERCICE 2.24 (*Corrigé annexe V*)

Une personne vous confie: « J'en ai assez de vivre seule, j'aimerais beaucoup tomber en amour, j'ai tout essayé pour rencontrer quelqu'un, mais ça n'arrive jamais! »

1) Quel pourrait être l'objet de la confrontation?

2) Sur quoi pourrait porter la résistance de la personne?

3) Comment pourriez-vous l'aider à surmonter ses difficultés?

LABORATOIRE

Le présent laboratoire a comme objectif de développer la capacité de confronter la personne aidée à son problème.

CONTEXTE DE RÉALISATION

Un jeu de rôles (*voir l'annexe IV*) impliquant un aidant et un aidé; les autres membres du groupe agissent en tant qu'observateurs et observatrices. Ces derniers ont à leur disposition une grille d'observation, dont un modèle est présenté à la page suivante (**tableau 2.10**).

*

L'enregistrement sur vidéo du jeu de rôles peut être utile pour faire ressortir les principaux aspects de la confrontation, les résistances de la personne aidée et les façons dont la personne aidante s'y est prise pour contrer ces résistances.

*

Une fois le jeu de rôles terminé, le professeur demande aux observateurs de faire part au groupe des comportements adoptés par la personne aidante et il suscite l'analyse de ces comportements.

Tableau 2.10

Exemple de grille d'observation pour évaluer la capacité de confrontation

MESSAGES VERBAUX ET NON VERBAUX DE LA PERSONNE AIDÉE		COMPORTEMENTS DE LA PERSONNE AIDANTE		
		Cerner l'objet de la confrontation	Contrer les résistances	Rechercher des solutions

2.6 – SOUTENIR LA PERSONNE DANS L'ACTION

La relation d'aide a comme objectif d'amener quelqu'un à trouver de nouvelles façons de s'adapter et de répondre à ses besoins. Pour atteindre cet objectif, la personne aidante doit miser sur le potentiel et les forces de la personne aidée; elle doit être capable d'amener celle-ci à reconnaître les atouts qu'elle possède et à s'en servir dans la recherche et l'application de solutions pour résoudre ses difficultés.

Pour favoriser l'utilisation des forces, la personne aidante doit être capable :

1) De cerner les forces d'une personne
2) D'amener celle-ci à les reconnaître
3) De l'accompagner dans l'action en l'encourageant à utiliser ses propres forces

Nous verrons dans cette partie comment développer ces habiletés.

APPRENDRE À CERNER LES FORCES D'UNE PERSONNE

Il faut d'abord s'entendre sur ce qu'est une force. De façon générale, une force est ce qu'une personne peut faire ou aime faire; les membres de sa communauté, de son réseau social peuvent également constituer des forces pour elle.

Voici une liste de quelques aspects qui peuvent aider à repérer les forces, les particularités d'une personne :

- Ses qualités;
- Ses goûts;
- Les expériences qui l'ont valorisée;
- Ses rêves;
- Ses projets;
- Ses aptitudes;
- Ses connaissances;
- Les personnes significatives pour elle (membres de sa famille, amis, collègues de travail ou d'études);
- Etc.

Pour connaître les forces d'une personne, on peut l'écouter, l'observer, la questionner, lui demander de faire son autoportrait et d'en extraire ses forces. Il est habituellement assez difficile pour quelqu'un de voir ses atouts, ses qualités; le contraire, c'est-à-dire la connaissance de ses défauts, se fait beaucoup plus facilement pour la plupart des gens.

On peut aider une personne à faire ce travail d'identification en lui expliquant ce qu'est une force et en la guidant dans sa recherche. Voir l'exemple à la page suivante. Dans ce dialogue, l'accent est mis graduellement sur les forces de la personne; elle est recentrée sur elle-même et sur ses atouts.

Amener une personne à reconnaître ses forces

Lorsqu'une personne vit une difficulté, elle a souvent l'impression que tout va mal, qu'elle fait tout de travers, qu'elle ne vaut plus rien; elle a donc de la difficulté à s'apprécier, à s'estimer. Elle ne voit plus le bon côté des choses, ni ses bons côtés.

Le travail de la personne aidante consiste alors à la remettre en contact avec ses bons côtés, à lui faire prendre conscience qu'elle peut elle-même résoudre ses difficultés en se servant de ses forces. Voir l'exemple à la page suivante.

CERNER LES FORCES D'UNE PERSONNE

Jeanne a confié qu'elle vient de quitter son mari pour la troisième fois en raison de ses comportements violents. Elle ne veut plus retourner vers lui, mais c'est comme si c'était plus fort qu'elle; elle ne peut résister à ses avances lorsqu'il décide de la reconquérir. Elle a surtout peur de lui, des menaces qu'il lui profère.

En ayant été confrontée à son problème, elle a pris conscience du fait qu'elle a peur de se retrouver seule et qu'elle supporte mal d'avoir échoué dans son mariage.

JEANNE – Je ne supporte pas l'idée de me retrouver seule...

MARCEL – Allez-vous vraiment vous retrouver seule? Vous avez une famille? Des amis? Des collègues de travail?

JEANNE – Je le sais bien, mais ce n'est pas pareil! Je vis avec lui depuis 15 ans, au quotidien... Ça va faire tout un vide!

MARCEL – C'est évident! Cependant, vous êtes capable de combler ce vide; pensez à tout ce que vous pouvez faire avec vos amis, votre famille, à tout ce que vous êtes capable de faire, à tout ce à quoi vous rêvez...

JEANNE – Mes rêves? Je me sens un peu désabusée... Depuis quelques années, j'ai oublié mes rêves...

MARCEL – Qu'aimeriez-vous faire maintenant? Qu'est-ce qui est le plus important pour vous?

AMENER UNE PERSONNE À RECONNAÎTRE SES FORCES

JEANNE – J'aimerais d'abord arriver à être capable de vivre seule, sans mon mari...

MARCEL – Comment pensez-vous pouvoir y arriver?

JEANNE – Avec l'aide que d'autres femmes peuvent m'apporter... Je m'intéresse aussi à plein de choses, comme le dessin, le cinéma, l'horticulture; je pourrais partager ces activités avec d'autres... et ainsi faire de nouvelles connaissances...

ACCOMPAGNER UNE PERSONNE DANS L'ACTION

C'est dans l'action qu'une personne reconnaît vraiment ses forces, qu'elle réalise ce dont elle est capable, ce qu'elle aime et ce qu'elle n'aime pas. C'est dans l'action qu'elle apprend à se connaître et qu'elle peut recevoir la rétroaction des autres; cette rétroaction l'aide à s'ajuster et lui apporte une valorisation.

Accompagner la personne ne veut pas dire seulement être à ses côtés, faire les démarches avec elle; cela signifie aussi lui accorder un certain suivi, la rencontrer pour faire le point sur ce qu'elle vient de réaliser et la féliciter de ses bons coups. L'exemple suivant permet de bien voir le travail de soutien effectué par la personne aidante. L'exercice 2.25 permet de mettre en pratique cette habileté.

JEANNE – Je viens de commencer des cours de dessin et j'adore cela! Je ne pensais jamais aussi bien me débrouiller! J'ai déjà reçu des félicitations de mon professeur...

MARCEL – Bravo! C'est un bon départ... et comment va la vie en solitaire?

JEANNE – Pas si mal! Des moments, je me sens très seule, nostalgique... Mais je pense que je vais y arriver...

MARCEL – Je pense effectivement que vous en êtes capable.

Tableau 2.11

Exemple de grille d'observation pour évaluer le soutien dans la résolution de problèmes

	COMPORTEMENTS DE LA PERSONNE AIDANTE		
MESSAGES VERBAUX ET NON VERBAUX DE LA PERSONNE AIDÉE	Cerner les forces de la personne	Amener la personne à reconnaître ses forces	Amener la personne à utiliser ses forces

EXERCICE 2.25

1) Pensez à une personne de votre entourage (milieu de stage, par exemple) qui vit actuellement une difficulté; définissez cette difficulté:

laisser son copin

____

EXERCICE 2.25 *(Suite)*

2) Nommez quelques forces de cette personne :

Forte

intelligente

consciente de...

3) Comment pourriez-vous l'amener à utiliser ses forces pour résoudre sa difficulté actuelle?

• Elle est capable de passer autravers (forte). Elle est capable de dire qu'elle n'est pas bien.

4) Comment pourriez-vous l'accompagner pendant qu'elle tente de résoudre sa difficulté? Quels gestes pourriez-vous poser?

La supporter, lui dire que je serais là si elle a envie de parler.

LABORATOIRE

Le présent laboratoire a comme objectif de développer la capacité de soutenir la personne aidée dans la résolution de ses problèmes.

Contexte de réalisation

Un jeu de rôles (*voir l'annexe IV*) impliquant un aidant et un aidé; les autres membres du groupe agissent en tant qu'observateurs. Ces derniers ont à leur disposition une grille d'observation, dont un modèle est présenté à la page 114 (**tableau 2.11**).

*

L'enregistrement sur vidéo du jeu de rôles peut être utile pour souligner les principales façons d'amener une personne à utiliser ses forces, à les utiliser en lien avec le problème à résoudre.

*

Une fois le jeu de rôles terminé, le professeur demande aux observateurs de faire part au groupe des comportements adoptés par la personne aidante et il suscite l'analyse de ces comportements.

2.7 – INTÉGRER SES COMPÉTENCES DANS UN ENTRETIEN D'AIDE

Les parties précédentes ont permis de prendre conscience et de mettre en pratique les principales compétences utiles en relation d'aide. Chaque compétence a été expérimentée séparément et progressivement, en suivant le processus d'aide présenté à la partie 1.4.

Dans cette partie, nous intégrerons l'ensemble de ces connaissances et habiletés dans le cadre d'un entretien d'aide; ce qui permettra de vérifier sa capacité à engager et à mener à terme un processus d'aide.

L'ensemble d'un processus d'aide peut être complété en un seul entretien, lorsqu'on dispose d'une période de temps suffisante et que le problème abordé est relativement simple à résoudre. Par contre, il arrive fréquemment qu'on ait à faire une série d'entretiens pour compléter le processus d'aide.

Nous verrons, en premier lieu, quelques données de base sur l'entretien : sa préparation, son déroulement et ses suites. En second lieu, nous proposons une démarche pour planifier, réaliser et évaluer un entretien d'aide dans le but de vérifier le degré d'intégration des compétences présentées.

NFORMATIONS PRATIQUES UR L'ENTRETIEN D'AIDE

L'entretien d'aide est un échange entre une personne aidante et une personne aidée au cours duquel interviennent plusieurs variables : cet échange est centré sur la personne aidée; le degré de connaissance des deux personnes et leurs caractéristiques propres influent sur la qualité de l'entretien; la personne aidante doit se préoccuper de la qualité de son contact avec l'autre tout au long de l'entretien, que ce soit à son début, pendant son déroulement ou quand il se termine.

La préparation de l'entretien

La préparation d'une rencontre peut se faire quelques jours à l'avance ou quelques minutes seulement avant le début de l'entretien. Les éducateurs et éducatrices réalisent souvent leurs entretiens dans le cadre des activités de la vie quotidienne, ce qui fait que leur préparation est réduite de façon minimale. Cependant, comme préparation minimale, ils doivent rechercher les conditions environnementales les plus favorables, bien clarifier le but de l'entretien et s'y préparer psychologiquement.

Le déroulement de l'entretien

L'entretien débute quand les deux personnes entrent en contact. La personne aidante accueille l'autre en lui disant bonjour, en se présentant et en lui offrant un fauteuil confortable. Il est bon de rappeler la durée de l'entretien, d'en préciser le but et les modalités. Il peut être nécessaire de préciser son rôle, surtout si l'entretien se déroule au domicile de quelqu'un, par exemple de l'informer sur l'établissement pour lequel on travaille et le type de services qu'on peut lui offrir.

En adoptant des attitudes facilitantes (empathie, respect) et en utilisant des techniques de communication appropriées (reformulation, reflet), la personne aidante favorise le maintien d'une bonne relation avec la personne aidée et l'atteinte du but de l'entretien.

Lorsque le but de l'entretien est atteint ou que le temps prévu est écoulé (il se peut qu'un seul entretien ne soit pas suffisant), il faut faire un retour sur l'entretien et, si nécessaire, prévoir la prochaine rencontre. La personne aidante fait donc une brève synthèse du déroulement de l'entretien et propose un autre rendez-vous, le cas échéant.

Au moment de se quitter, la personne aidante se lève et accompagne la personne aidée vers la porte pour lui dire au revoir, en lui rappelant le moment d'une prochaine rencontre, s'il y a lieu.

Les suites de l'entretien

Après l'entretien, la personne aidante en fait une analyse qui peut être brève ou systématique. Une analyse brève peut se faire mentalement, au cours d'une conversation avec un collègue ou encore en rédigeant une note évolutive.

Une analyse systématique peut exiger d'avoir à sa disposition des outils suffisamment élaborés : une grille de compilation des interactions, une grille d'analyse (**tableaux 2.12** et **2.13**) et des moyens pour enregistrer l'entretien (magnétophone ou magnétoscope). Pour des fins pédagogiques, l'enregistrement vidéo est une approche fort utile.

Si l'entretien n'a pas été enregistré, la personne aidante doit noter le plus tôt possible les interactions qu'elle veut analyser ainsi que son vécu subjectif (émotions, pensées) lié à ces interactions, pour éviter de les oublier.

IMULATION D'UN NTRETIEN D'AIDE

Une façon de vérifier le degré d'acquisition de compétences chez de futurs aidants est de les mettre en situation de démontrer ces compétences. Réaliser un entretien d'aide est une activité d'apprentissage qui permet de faire cette démonstration.

La personne aidante en formation doit disposer d'outils adéquats et recevoir un encadrement bien défini : la personne qui lui enseigne doit lui fournir des balises pour préparer, réaliser et évaluer son entretien.

Préparation de l'entretien

Voici quelques balises permettant la réalisation la plus profitable possible d'une simulation d'entretien d'aide.

1) L'entretien doit impliquer une personne aidée connue (ami(e), membre de la famille, client d'un milieu de stage); de préférence, ne pas choisir des collègues de classe.

2) La durée de l'entretien peut varier de 20 à 30 minutes.

3) L'environnement physique doit fournir un minimum de confort et de discrétion.

4) L'entretien doit être enregistré avec une caméra vidéo pour permettre de faire l'évaluation de l'entretien par la suite.

5) Une grille de compilation des interactions (**tableau 2.12**) et une grille d'analyse (**tableau 2.13**) sont fournies aux personnes en formation réalisant l'entretien d'aide.

6) Après l'entretien, la personne en formation doit prévoir un temps pour visionner son enregistrement, remplir sa grille de compilation et en faire l'analyse.

7) Une rencontre suivra avec le professeur pour compléter la démarche.

Réalisation de l'entretien

L'entretien peut se réaliser à partir du moment où la personne en formation a complété toutes les étapes préparatoires : réservation du matériel d'enregistrement, familiarisation avec ce matériel et avec les grilles de compilation et d'analyse, choix d'un lieu pour faire l'entretien, etc.

Il est conseillé de faire un prétest pour vérifier si tout fonctionne bien; il est plus facile de s'ajuster et de se reprendre au début que d'avoir à recommencer complètement la démarche si un problème technique survient en cours d'entretien. La validité de l'entretien peut alors en être affectée.

Le temps est un facteur important à respecter. Il faut laisser un peu de temps en début d'entretien pour qu'une personne aidée se sente en confiance; cela peut prendre quelques minutes. La personne aidante a aussi besoin d'un peu de temps pour faire passer son stress et bien s'adapter à la situation; une fois à l'aise, elle est alors plus en mesure de démontrer ses compétences.

Évaluation de l'entretien

Il est préférable de laisser passer quelque temps avant de visionner l'enregistrement de l'entretien; cela permet de prendre un peu de recul. L'évaluation se fait en trois étapes :

1) La personne en formation visionne l'enregistrement en premier; en même temps, elle remplit la grille de compilation des interactions. Une fois cette compilation terminée, elle en fait l'analyse à l'aide de la grille d'analyse des compétences. Ensuite, elle remet la vidéocassette à son professeur.

2) Le professeur procède à son tour à l'évaluation en suivant la même démarche et en se servant des mêmes outils.

3) Une rencontre a ensuite lieu entre la personne en formation et celle qui lui enseigne : les deux visionnent ensemble la vidéocassette et soulignent les éléments-clés des compétences exprimées. Le professeur fait ensuite une synthèse pour mettre en évidence les forces et les difficultés de la personne en formation.

COMPORTEMENTS DE L'AIDÉ * Messages verbaux et non verbaux	COMPORTEMENTS DE L'AIDANT * Interventions verbales et non verbales

Tableau 2.12

Exemple de grille de compilation des interactions

Tableau 2.13

Exemple de grille d'analyse des compétences exprimées

CRÉER UN LIEN DE CONFIANCE	ACCUEILLIR (Posture, temps, environnement, but, disponibilité)	
	RESPECTER (comportements)	
	ÊTRE AUTHENTIQUE (comportements)	
ÉCOUTER/OBSERVER/ DÉMONTRER DE LA COMPRÉHENSION	REFORMULER	
	REFLÉTER	
	NIVEAU D'EMPATHIE	
FAIRE SPÉCIFIER LE BESOIN	QUESTIONNER	• Questions ouvertes • Questions fermées
	DÉFINIR LE BESOIN	
CONFRONTER	PRÉCISER L'OBJET DE LA CONFRONTATION	
	CONTRER LES RÉSISTANCES	
	AMENER LA PERSONNE À TROUVER DES SOLUTIONS	
SOUTENIR DANS L'ACTION	AMENER LA PERSONNE À RECONNAÎTRE SES FORCES	
	AMENER LA PERSONNE À UTILISER SES FORCES DANS L'ACTION	

Troisième partie

Relation d'aide en situations difficiles

Relation d'aide en situations difficiles

La relation d'aide exige des personnes aidantes beaucoup d'énergie et de disponibilité. Écouter une personne qui s'exprime facilement et qui contrôle relativement bien ses émotions est une tâche complexe exigeant de faire preuve d'empathie, de se décentrer de soi, de respecter inconditionnellement l'autre, de rester soi-même dans la relation. Écouter une personne qui verbalise peu ou pas et dont les émotions sont exacerbées représente un défi de taille : en plus de démontrer les attitudes de base essentielles, la personne aidante doit faire des efforts, utiliser des moyens adaptés pour rejoindre la personne, l'amener à se confier et l'aider à répondre à son besoin.

Les situations difficiles dans lesquelles les éducateurs et éducatrices doivent apporter leur aide à des personnes sont nombreuses. Dans cette troisième partie, nous décrirons et expliquerons quelques-unes de ces situations; pour chacune d'elles, nous suggérerons des façons d'aborder les personnes en difficulté afin de mieux les aider. Il sera question des personnes en état de crise et d'une méthode d'intervention de crise, des personnes présentant des comportements violents, de celles dont l'état mental est fragile et des personnes ayant une capacité de compréhension limitée.

3.1 – L'ÉTAT DE CRISE

On connaît maintenant des façons de venir en aide à des personnes vivant des situations de crises que l'on dit « circonstancielles » parce que leur déclencheur est un élément d'une situation en apparence anodin, un peu comme la goutte d'eau qui fait déborder le vase. Dans ce chapitre, nous verrons la définition de la crise, son processus de développement, ses principales formes et une méthode d'intervention générale.

QU'EST-CE QU'UNE CRISE?

Une crise[1] est une période relativement courte de déséquilibre psychologique chez une personne confrontée à un événement dangereux; cet événement représente un problème important pour la personne : elle ne peut ni le fuir ni le résoudre avec ses ressources habituelles d'adaptation.

Par « période relativement courte », on entend de quatre à six semaines; la crise éclate et se résorbe normalement à l'intérieur de ce temps.

L'événement qui déclenche la crise n'est en général pas dangereux en lui-même, comme pourrait l'être un tremblement de terre, par exemple. Le danger vient plutôt de la perception que la personne a de cet événement ou de cette situation, de l'importance qu'elle lui accorde. Cela peut être la perte de quelqu'un ou de quelque chose (décès, rupture, perte d'emploi, mise à la retraite), une agression (être présent lors d'un *hold-up*, être victime de harcèlement), un changement de statut ou de rôle (mariage, venue d'un enfant, promotion). Il s'agit d'un événement qui génère habituellement beaucoup d'anxiété, ce qui rend la personne plus vulnérable et fragile, et qui est susceptible de représenter un « problème important » pour elle.

La crise survient parce que les mécanismes habituels d'adaptation de la personne ne suffisent plus à la tâche ou sont rendus non fonctionnels en raison du haut taux d'anxiété; la personne se retrouve paralysée, coincée, ne pouvant ni fuir ni résoudre le problème. Les mécanismes d'adaptation sont soit des automatismes, des comportements qu'une personne répète de façon machinale (habitudes quotidiennes, routine de travail) ou des petits trucs qu'elle a développés pour faire baisser le stress (marcher, aller au restaurant avec un ami, pratiquer un sport). D'autres moyens, considérés comme néfastes pour la santé, sont également utilisés par de nombreuses personnes : fumer, consommer de l'alcool, des drogues, etc.

Pour que la crise se résorbe, la personne a habituellement besoin d'une forme d'aide précise, soit de celle d'un professionnel de la santé (CLSC, centre de crise) ou de celle d'un proche de son réseau naturel. Le déséquilibre

---

[1] Voir aussi Donna C. AGUILERA et Janice M. MESSICK. *Intervention en situation de crise*, Toronto, C.V. Mosby Company, 1976, p. 63-67.

psychologique dont il est question ici n'est donc que passager et la personne affectée va généralement retrouver son niveau d'équilibre antérieur.

PROCESSUS DE DÉVELOPPEMENT D'UNE CRISE

Une crise est une forme de déséquilibre psychologique. Le schéma suivant (**figure 3.1**) permet de comprendre comment elle se développe. Normalement, toute personne vit en état d'équilibre ou recherche cet état d'équilibre. Sur le plan physique, par exemple, lorsque la faim se manifeste, l'équilibre est rompu et nous nous hâtons de manger pour rétablir l'équilibre; si aucune nourriture n'est disponible pendant une longue période de temps, notre organisme va montrer des signes de faiblesse et ne sera plus en mesure de remplir ses fonctions habituelles (se déplacer, prendre des objets).

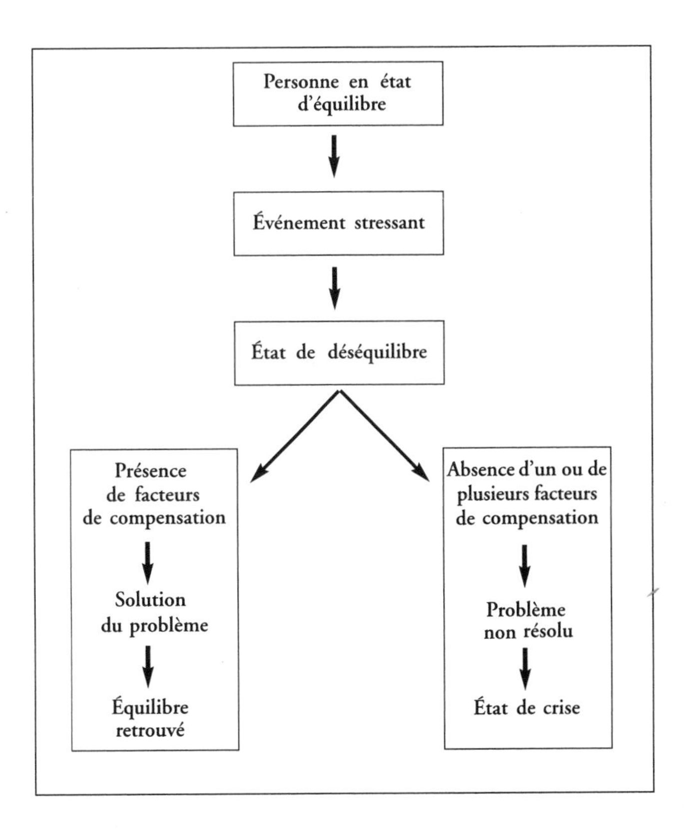

Figure 3.1

Processus de développement ou non d'une crise

Sur le plan psychologique, lorsqu'un événement perçu comme dangereux ou menaçant se présente, le niveau de stress d'une personne augmente; c'est comme un signal d'alarme. L'équilibre est alors rompu : la personne recherche la source de ce stress pour tenter de l'éliminer. Un certain nombre de moyens ou d'outils peuvent être à sa disposition; nous les appellerons les « facteurs de compensation ». Ils sont au nombre de trois : la perception de l'événement, les soutiens situationnels et les mécanismes habituels d'adaptation.

La perception de l'événement

Un même événement peut être perçu différemment selon les personnes; le décès d'un être cher, par exemple (ou une peine d'amour, une rupture) est généralement vécu comme une expérience triste, douloureuse, mais ce même événement peut être ressenti, par certaines personnes, de façon plus dramatique, même traumatisante. Si la perte est interprétée comme très grave et entraîne la perte du sens de sa vie, elle représente une menace plus grande pour l'équilibre d'une personne. L'anxiété générée par cet événement sera plus forte et plus difficile à maîtriser; la perte de contrôle, les gestes excessifs (tentatives de suicide) seront plus susceptibles d'apparaître.

La perception qu'une personne a d'un événement va déterminer l'évaluation qu'elle va en faire et les moyens qu'elle va utiliser pour s'y adapter. La perception peut être juste, réaliste; si elle colle à la réalité, son évaluation sera plus juste et elle pourra mieux s'y adapter. La perception peut aussi être déformée par toutes sortes de facteurs (émotions, drogues).

Les soutiens situationnels

Une personne entretient normalement des relations avec plusieurs autres personnes, que ce soit à la maison, au travail, aux loisirs, dans sa parenté; l'ensemble de ces personnes constitue son réseau social personnel (**figure 3.2**). Plus ce réseau est riche et solide, plus il sera supportant et plus la personne pourra faire face avec succès aux événements dangereux pour son équilibre. À l'inverse, plus une personne est isolée, plus elle possède un réseau faible, plus elle sera vulnérable. Lorsque des coups durs arrivent, elle peut faire appel à certains membres de son réseau pour l'aider, la soutenir; ces membres deviennent ce qu'on appelle des « soutiens situationnels ».

Les mécanismes habituels d'adaptation

Dans la définition de la crise, il est mentionné que les mécanismes habituels d'adaptation sont des habitudes de vie, des comportements quasi réflexes. Plus ces mécanismes sont nombreux, plus une personne a de chances de retrouver facilement et rapidement son équilibre. Plus ils

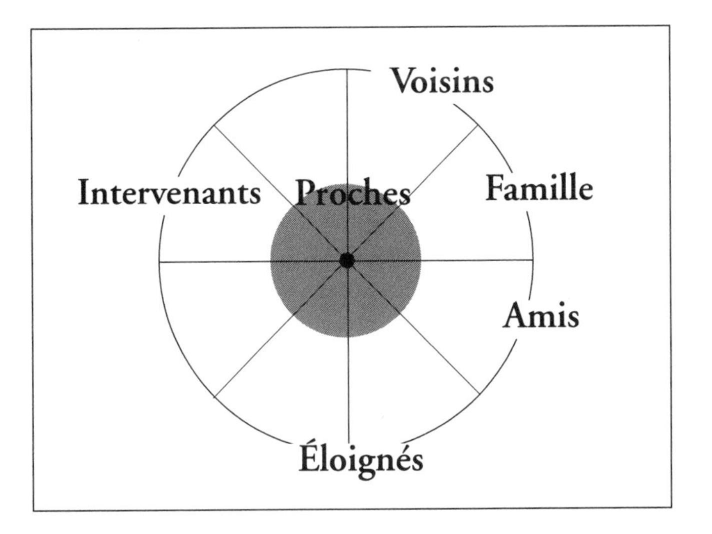

Figure 3.2

Réseau social personnel

sont souples, plus ils peuvent être utilisés pour faire face à des situations variées. Ainsi, une personne qui vit régulièrement des événements stressants, développe et entretient ses mécanismes d'adaptation; elle est toujours prête à faire face à la musique. En revanche, une personne qui est « maintenue en serre chaude », à l'abri d'événements dérangeants, n'est pas préparée à s'adapter rapidement et avec souplesse; elle risque davantage de perdre l'équilibre si un coup dur arrive.

Lorsqu'un ou plusieurs de ces facteurs de compensation est absent ou peu fonctionnel, la personne aux prises avec le stress devient de plus en plus anxieuse, inquiète, et le risque de perte de contrôle et de crise augmente au fur et à mesure que ces facteurs perdent de leur efficacité.

LA CRISE ANXIEUSE

L'anxiété est un sentiment habituel que la plupart des êtres humains éprouvent dans de multiples situations; ainsi, une personne peut vivre de l'anxiété avant d'entreprendre une expérience nouvelle, avant de se présenter à un examen, avant de monter sur la scène d'un théâtre, etc.

Comme tout sentiment, l'anxiété peut être gardée sous contrôle par la personne chez laquelle elle se manifeste; les sensations ressenties peuvent être désagréables et de durée variable, mais la personne sait qu'elles s'estomperont lorsque les stimulations cesseront ou lorsqu'elle se retrouvera dans le feu de l'action.

Une personne qui perd le contrôle de son anxiété peut se retrouver en crise anxieuse. Les manifestations de ce type de crise chez la personne sont les suivantes :

- Elle se sent dépassée par les événements, ne comprend plus ce qui la met dans cet état;
- Elle dit avoir peur de rester seule, de devenir folle et, à la limite, de mourir;
- Elle exprime un fort besoin d'être rassurée et de parler de son état;
- Son anxiété se manifeste par bouffées, augmente et diminue;
- Elle peut éprouver de la difficulté à respirer et sa respiration devient saccadée;
- Lorsqu'on lui demande ce qui cause son anxiété, elle répond habituellement qu'elle ne sait pas; elle n'est plus en contact avec la source de son anxiété.

Comment aider une personne en crise anxieuse?

- Il est d'abord important de l'amener à reprendre un rythme normal de respiration en lui demandant d'inspirer profondément et d'expirer, et de la faire se centrer sur son rythme respiratoire;
- Ensuite, on lui demande de parler de ses peurs, on l'aide à les exprimer;
- Une fois que le niveau de l'anxiété a baissé, la personne a souvent l'impression que son problème est réglé; elle se sent mieux, plus calme. Cependant, l'anxiété réapparaît au bout d'un certain temps; ce laps de temps est variable, selon la personnalité de chacun;
- On essaie de lui faire prendre conscience de ce qui la met dans cet état, de trouver la source de son anxiété.

L'utilisation de l'approche émotivorationnelle[2] peut être utile, dans ce genre de cas. Cette approche est centrée sur la perception qu'un individu a d'une situation; c'est cette perception qui donne naissance à l'émotion, donc à l'anxiété, dans le cas présent. Si on travaille sur sa

[2] Lucien AUGER. *S'aider soi-même*, Montréal, Les Éditions de l'Homme, 1974.

perception d'une situation pour l'amener à en prendre conscience, on amène cette personne à agir sur son anxiété, à tendre vers le contrôle de celle-ci. Voyons un exemple de cette approche.

APPLICATION DE L'APPROCHE ÉMOTIVORATIONNELLE

Un de vos proches vit beaucoup d'anxiété depuis quelque temps; à certains moments, ce sentiment devient tellement fort qu'il éprouve de la difficulté à respirer, il éprouve aussi un sentiment de panique. Lorsque vous lui demandez ce qui le met dans cet état, il vous répond qu'il ne sait pas, que ça lui prend tout d'un coup.

Son anxiété a pourtant une source, une origine; une fois qu'il est calmé, vous pouvez l'aider en engageant la démarche suivante, qui comporte trois volets :

1) Demandez-lui de vous parler de situations qu'il vit présentement, particulièrement de celles qui lui causent du stress (chicanes avec sa conjointe, pression au travail, problèmes de santé).

2) Pour chacune des situations, demandez-lui de vous faire part de sa perception, de ce qu'il en pense. Vous recueillerez des informations plus ou moins vagues et développées du type : « Je n'aime pas me chicaner avec ma conjointe. Je ne la comprends plus. Je pense à la quitter. »

3) Amenez la personne à décrire davantage ses perceptions, à les préciser, en la questionnant sur ses affirmations. Ainsi, quand il dit qu'il ne comprend plus sa conjointe, vous lui demandez : « Que voulez-vous dire par cela? Donnez-moi des exemples? », etc.

Le fait de prendre conscience de ce qu'il vit, d'exprimer ses préoccupations, l'amènera à reprendre graduellement le contrôle de son anxiété; ainsi, il évitera de se retrouver en état de crise et redeviendra capable de prendre des décisions éclairées.

LA CRISE DÉPRESSIVE

Nous avons vu qu'un état de crise était une forme de déséquilibre psychologique passager; cet état de crise fait habituellement suite à un problème d'adaptation majeur vécu face à une situation dangereuse.

Dans le cas d'une crise dépressive, la situation dangereuse, aussi appelée « événement déclencheur », est associée à une perte : une personne peut se retrouver confrontée à la perte d'un être cher, en raison d'un décès, d'une rupture, d'une séparation. Lorsque le décès est subit (accident, suicide), le choc frappe de façon encore plus brutale : les réactions émotionnelles observées sont alors multiples (négation, colère, dépression, marchandage, pleurs et cris).

Lorsque le décès est appréhendé et préparé de longue date, le deuil est généralement vécu de façon moins douloureuse. C'est le cas, entre autres, des décès à la suite d'une longue maladie ou d'une mort naturelle due à l'âge avancée de la personne.

La perte subie lors d'une séparation ou d'un divorce amène des effets plus ou moins sérieux, selon ce que cette rupture représente pour la personne. Une rupture peut être appréhendée, envisagée de longue date, et, lorsqu'elle arrive, la personne touchée peut en assumer plus facilement les conséquences.

Les séparations sont habituellement vécues différemment par les enfants et par les adultes. L'âge de la personne peut également être un facteur déterminant. Par exemple, un jeune enfant est souvent davantage perturbé par la séparation de ses parents que peuvent l'être un adolescent ou un jeune adulte.

Une personne peut également se trouver confrontée à d'autres types de perte :

- Perte de son intégrité physique, en raison d'un accident (paralysie, perte d'un membre, défiguration) ou d'une maladie (ablation d'un sein, amputation d'un membre);
- Perte d'autonomie en raison d'une maladie dégénérative (Alzheimer, sclérose en plaques);
- Perte d'estime de soi, due à un congédiement, une rétrogradation, des réprimandes;
- Perte d'un statut social;
- Perte de biens matériels;
- Etc.

De nombreux indices peuvent mettre sur la piste d'une crise dépressive; ces indices apparaissent habituellement de façon progressive et parfois insidieuse. Il faut donc être attentif au moindre signe apparent ou manifeste. Les signes les plus fréquents sont les suivants :

- Baisse de l'appétit;
- Perte de poids;
- Troubles du sommeil (insomnie, réveil matinal, envie de dormir continuellement);
- Sentiment de tristesse dominant;
- Envie de pleurer;
- Pleurs fréquents et abondants;
- Perte d'intérêt pour les activités habituelles;
- Isolement, désir de rester seul;
- Idées suicidaires.

Comment aider une personne en crise dépressive?

- Fournir une présence chaleureuse et discrète : faire part de sa disponibilité, être attentif aux signes non verbaux (larmes, mimiques faciales...);
- Démontrer de l'empathie : refléter à la personne que l'on comprend son sentiment de tristesse; favoriser l'expression de ce sentiment;
- Respecter la personne, même si ses réactions (isolement, agressivité, désir d'entrer en contact avec la personne disparue, impression de la voir, de la sentir tout près) peuvent parfois sembler déplacées ou surprenantes, particulièrement lors des morts subites;
- Si la personne s'isole, vérifier de temps en temps si elle a besoin de quelque chose; particulièrement lorsqu'elle présente des idées suicidaires;
- Lui laisser le temps de vivre son deuil; il n'y a pas de règle concernant la durée du deuil. Cependant, lorsqu'une

personne ne réagit pas au moment de la perte ou du décès et que cette absence de réaction dure des semaines ou des mois, il faut alors se préoccuper de cette absence de réaction, parler directement avec la personne de cet événement, de la façon dont elle réagit pour essayer de l'amener à se confier. « Cela fait trois mois que ta fille est décédée. Au moment de sa mort, j'ai remarqué que tu n'as pas réagi... tu n'as pas pleuré et, depuis ce temps, c'est comme s'il ne s'était rien passé. Cela m'inquiète... »

La crise suicidaire

Le suicide est une réalité difficile à concevoir et à comprendre; qu'est-ce qui peut amener une personne à penser à s'enlever la vie? Pourquoi soudainement la vie ne vaut-elle plus la peine d'être vécue? Pourquoi penser qu'il ne peut plus y avoir d'autre issue à un problème?

Le suicide peut être un acte mûrement réfléchi, l'aboutissement d'un long cheminement, d'une suite de malheurs et de souffrances trop pénibles à supporter; chez les préadolescents et les adolescents, il peut être la résultante d'un état dépressif difficile à déceler. Il peut aussi être un acte impulsif, un geste posé dans la tourmente, un signe d'un trop-plein d'émotions, un appel au secours.

Lorsqu'une personne mûrit depuis longtemps un acte suicidaire, elle essayera de prendre tous les moyens pour réussir son geste, pour tromper la vigilance de ses proches qui pourraient l'en empêcher.

Attention aux changements brusques d'humeur, à la joie retrouvée après une longue période de tristesse, à une attitude sereine faisant place au désarroi!

Les événements déclencheurs d'une crise suicidaire peuvent être multiples et difficiles à cerner. À quel moment les idées suicidaires commencent-elles à apparaître chez une personne? Sont-elles présentes depuis longtemps lorsque commence à se former un projet suicidaire? Comment évaluer le risque de passage à l'acte?

Un acte suicidaire posé de façon impulsive ne prend pas la même signification : ce geste est souvent un genre d'appel à l'aide et est habituellement précédé de signes avant-coureurs, malheureusement difficiles à décoder. Ces signes peuvent prendre les formes suivantes :

SIGNES VERBAUX :

- Bientôt, je ne serai plus là;
- Je vais partir en voyage;
- Vous allez être débarrassé;
- Ça ne vaut plus la peine de continuer;
- Je n'en peux plus;
- C'est trop dur à vivre;
- Etc.

SIGNES NON-VERBAUX :

- Donner ses objets personnels;
- S'intéresser aux armes à feu;
- Changer de comportements;
- S'isoler;
- Devenir hyperactif;
- Manquer d'énergie;
- Etc.

Évaluation du risque de passage à l'acte

Aussitôt que le moindre indice est détecté, il est important d'intervenir, de vérifier dans quel état d'esprit se trouve la personne.

- Parler avec elle, l'amener à exprimer ses sentiments;
- Lui demander quelles idées lui tournent dans la tête, à quoi elle pense;
- Insister, même si elle prétend qu'il ne se passe rien;
- Lui faire part de nos préoccupations, de nos inquiétudes à son endroit.

Si des idées suicidaires (idées noires, dépréciation de soi) sont présentes, si un fort sentiment de tristesse est exprimé :

- Vérifier si la personne pense à des façons de s'enlever la vie (a-t-elle en main un outil, des médicaments? a-t-elle un plan?);
- Poser des questions très directes.

Si le risque est imminent, faire avec elle un contrat de non-passage à l'acte dans un délai très bref (jusqu'à demain matin, d'ici 24 heures); ce contrat a habituellement comme effet d'exercer un contrôle sur la personne, surtout si elle est portée à agir impulsivement. Habituellement, la personne le respectera.

Comment aider une personne en crise suicidaire?

- Parler directement du suicide avec la personne (« Penses-tu à te suicider? »);
- Évaluer les risques de passage à l'acte dans les prochaines heures ou les prochains jours; demander à la personne quand et comment elle pense se tuer;
- Vérifier son réseau social (amis, famille);
- Chercher avec elle s'il pourrait exister d'autres solutions que le suicide;
- Encourager la personne à faire des activités qu'elle aime habituellement, à rencontrer d'autres personnes;
- Lui expliquer qu'elle peut avoir votre aide et votre attention sans faire de menaces ou de tentatives de suicide;
- Lui donner les numéros de téléphone de services d'aide (centre de prévention du suicide, centre de crise).

Quels sont les gestes à ne pas faire?

- Ne jamais mettre une personne suicidaire au défi de passer à l'acte, même si on pense qu'elle fait du chantage au suicide;
- Éviter de juger et de moraliser; ne pas dire que ce n'est pas bien de penser à s'enlever la vie. En parler plutôt avec la personne;
- Éviter de tout faire à la place de la personne suicidaire; favoriser son autonomie. Le fait de songer au suicide ne la rend pas automatiquement invalide;
- Éviter de donner des recettes de bonheur; ne pas faire de promesses irréalistes (« Tu vas voir, tout va s'arranger... La vie est encore belle... »).

LA CRISE TRAUMATIQUE

Un traumatisme est un choc violent provoqué par un événement qui menace l'intégrité physique ou psychologique d'une personne. Cet événement peut être soit un accident de voiture, soit une agression physique ou un viol, l'implication dans un *hold-up*, la découverte d'une personne suicidée, etc.

La personne victime d'un tel événement est obsédée par des images de l'événement qu'elle revoit sans cesse, de façon répétée; son sommeil est troublé par la présence de nombreux cauchemars alimentés par ce traumatisme. Elle tente de fuir ou d'éviter les situations dans lesquelles elle risquerait de revivre un événement semblable.

Comment aider une personne vivant une crise traumatique?

La personne a besoin de parler de ce qui lui est arrivé, et ce, de façon répétée; la répétition a dans ce cas un effet thérapeutique. Il faut l'amener à revivre les émotions liées au traumatisme pour qu'elle arrive à les liquider; souvent, ces émotions sont restées bloquées, comme chez une personne en état de panique, ou bien elle n'en livre qu'une partie à la fois.

La peur est souvent l'émotion dominante; la colère et la culpabilité peuvent également se manifester, dans une situation de viol, par exemple, ou lors de la découverte d'un proche suicidé.

LA CRISE RELATIONNELLE

Une relation interpersonnelle est surtout basée sur le lien de confiance qui existe entre deux ou plusieurs personnes. Ce lien favorise les échanges d'idées, de sentiments, de valeurs; c'est par l'intermédiaire de ce lien qu'une personne peut répondre à plusieurs de ses besoins (physiques, affectifs, sociaux).

Lorsqu'une relation est satisfaisante pour chacun des partenaires, elle leur apporte un certain bien-être et elle a des chances de durer. Par contre, lorsqu'une relation est chaotique et tourmentée, lorsque les partenaires n'y trouvent pas leur compte, elle engendre de la frustration et des récriminations. La communication se détériore graduellement : les partenaires n'arrivent plus à se comprendre et à satisfaire leurs exigences réciproques.

Plus le sentiment de frustration est intense, plus les mécanismes d'adaptation deviennent inopérants et le jugement des personnes inadéquat. Ce sont maintenant les émotions débridées qui prennent le dessus. Les personnes prises dans la tourmente n'arrivent plus à se parler et à se comprendre; elles ne s'écoutent plus et le fossé entre elles s'élargit. Un rien peut alors déclencher l'état de crise.

Selon la personnalité de chacun, la crise peut prendre une ou plusieurs des formes suivantes :

- La fermeture (retrait sur soi);
- L'agressivité (hostilité, bouderie);
- L'éloignement (séparation, départ);
- L'indifférence;
- Les tromperies;
- Les menaces (suicidaires, homicidaires, le chantage);
- Les attaques (verbales, physiques);
- La violence (physique, psychologique).

Les comportements des personnes en crise qui attirent davantage l'attention sont habituellement les gestes violents; ce sont également ces gestes qui sont les plus dévastateurs, en ce sens qu'ils peuvent conduire à l'homicide et au suicide.

Les gestes violents peuvent signifier l'ultime tentative d'une personne pour garder un lien avec une autre personne, pour ne pas la perdre; ils peuvent aussi être considérés comme un aveu d'impuissance : incapacité de garder la confiance de l'autre, incapacité de gagner ou de conserver son affection, incapacité d'entrevoir la séparation, la rupture, incapacité de se faire confiance à soi-même, d'envisager d'être aimé d'autres personnes.

Les gestes violents se manifestent de façon graduelle; on peut observer leur escalade progressive : contrôler les faits et gestes, faire des reproches, vouloir empêcher l'autre de s'exprimer, de rencontrer d'autres personnes, l'espionner, enquêter sur ses faits et gestes, l'intimider, lui faire des menaces, le frapper, le menacer de mort. Une intervention précoce dans l'escalade de la violence a beaucoup de possibilités d'interrompre ce cycle, de le désamorcer (*voir la partie 3.2*).

Une crise relationnelle peut prendre d'autres formes que la violence. Peu importe la forme prise, les personnes impliquées ont besoin d'aide pour arriver à se parler et à s'expliquer, pour liquider les frustrations qui les empêchent de régler leurs problèmes relationnels.

Comment aider une personne en crise relationnelle?

L'aide peut prendre une ou plusieurs formes parmi les suivantes :

- Rencontrer les personnes de façon individuelle, afin d'avoir la version de chacune (il peut arriver qu'une des deux personnes s'y oppose; si c'est le cas, on les rencontre d'abord ensemble);
- Rencontrer les personnes ensemble afin de leur fournir l'occasion de se parler;
- Agir en tant que médiateur; faire clarifier le point de vue de chacun;
- Suivre le processus d'aide de base, en adoptant les attitudes aidantes appropriées et les techniques d'écoute, de confrontation et de résolution de problèmes (*voir la partie 1.4 et la partie 2*).

UNE MÉTHODE D'INTERVENTION DE CRISE

Comme nous l'avons vu dans les parties précédentes, certaines interventions particulières peuvent être faites selon le type de crise vécue par une personne. Il existe également des méthodes d'intervention qui peuvent s'appliquer à plusieurs types de situation de crise; ces méthodes sont plus globales : elles offrent un cadre général d'intervention.

Cette partie sera consacrée à la présentation d'une de ces méthodes; elle est inspirée de l'ouvrage d'Aguilera et Messick[3] *Intervention en situation de crise*. C'est une méthode qui comprend les cinq étapes suivantes, que nous verrons en détail : premier contact et contrôle de la situation, évaluation de la personne et de son système de soutien, utilisation de la technique d'autorésolution des problèmes, élaboration d'un plan

[3] Donna C. AGUILERA et Janice M. MESSICK. *Intervention en situation de crise*, Toronto, C.V. Mosby Company, 1976, p. 63-67.

d'intervention et fin de la relation. Afin d'illustrer ces propos théoriques, nous vous présentons également une étude de cas et un exercice permettant de les mettre en pratique.

La présente étude de cas vise à illustrer comment la méthode d'intervention précédemment décrite peut être utilisée. Ainsi, une situation de crise sera d'abord présentée; ensuite, les principales interventions seront définies et expliquées. On a vu que théoriquement, il existe cinq étapes à franchir, l'une après l'autre; dans la réalité, des étapes peuvent se chevaucher. Ainsi, l'intervenant accumule déjà des éléments d'évaluation en établissant le premier contact. L'essentiel est que chacune des étapes soit franchie.

1) Premier contact et contrôle de la situation

Comme dans toute relation d'aide, le premier contact que l'intervenant établit avec une personne est déterminant pour la bonne marche de la relation: une personne qui vit une situation de crise est généralement dans un état d'anxiété assez élevé, sa confiance est difficile à gagner; il est donc important que l'intervenant reste calme, se montre rassurant et fasse sentir à la personne en crise et à son entourage qu'il a le contrôle de la situation.

Une mère de famille téléphone dans un centre de crise pour avoir de l'aide. Au téléphone, elle raconte: « Je ne sais plus quoi faire avec ma fille, Nathalie; j'ai peur d'elle... elle a fait une crise en revenant de l'école aujourd'hui et je me suis sauvée chez des voisins. Je ne peux pas retourner chez moi... je ne peux pas non plus la laisser seule. »

INTERVENANT – Quel âge a votre fille?

MÈRE – 13 ans.

INTERVENANT – Quel genre de crise a fait votre fille?

MÈRE – Elle a commencé par m'engueuler, me dire des bêtises, puis elle s'est emportée, a lancé des objets; elle était hors d'elle-même.

INTERVENANT – Vous dites que vous ne pouvez pas retourner chez vous?

MÈRE – Non, pas ce soir... mais il faut que quelqu'un s'occupe d'elle...!

INTERVENANT – Très bien, madame. Nous allons vous venir en aide. Nous serons chez vous dans quelques minutes.

Il est 19 heures.

Les principaux gestes à poser lors du premier contact

- Se présenter et parler doucement mais avec fermeté (cette attitude a généralement pour effet de calmer les personnes et de les rendre plus réceptives);
- Amener la personne dans un endroit retiré, silencieux, afin de diminuer les stimuli et de rendre possible de spécifier le problème;
- Favoriser l'expression des sentiments rattachés à la crise (pleurs, agressivité) en les reflétant. Souvent, il ne s'agit que d'encadrer les comportements qui ont déjà cours: la personne en crise exprime très souvent ses sentiments de façon chaotique et excessive; pour l'aider, il faut l'amener à reprendre graduellement le contrôle de ses émotions;
- Il peut arriver qu'une personne pose des gestes violents; il peut alors être nécessaire de s'opposer physiquement à ces gestes (*voir la partie 3.2*).

Lorsque l'intervenant arrive au domicile, la mère vient le rejoindre et ils entrent ensemble à l'intérieur de la maison. La jeune fille (Nathalie) *est étendue sur un divan, dans le salon; elle tourne la tête et ne manifeste aucune réaction à leur égard.*

La mère invite l'intervenant à s'asseoir, à quelques pieds de Nathalie. L'intervenant se présente et tente d'établir le contact avec Nathalie.

INTERVENANT – Bonsoir, Nathalie. Mon nom est Jean. Ta mère m'a téléphoné pour avoir de l'aide; elle ne sait plus quoi faire, elle a peur de tes réactions. J'aimerais bien que tu me parles de ce qui se passe...

Nathalie ne réagit pas. Elle a les yeux fermés et reste immobile. Jean se tourne alors vers la mère dans le but d'arriver à cerner le problème.

L'intervenant a tenté d'établir le contact avec Nathalie; même si elle n'a pas eu de réaction, elle a sûrement entendu ses propos et l'intervenant peut supposer qu'elle est attentive à ce qui se passe. Le dialogue s'engage alors avec la mère tout en espérant que Nathalie va réagir, à un moment donné.

2) Évaluation de la personne et de son réseau social

L'évaluation de la situation vécue et du réseau social de la personne est une étape importante : il faut prendre le temps, avant de songer à une intervention particulière, de bien évaluer ce qui se passe.

Les principaux gestes à poser
pour évaluer la personne et son réseau

- Orienter les premières questions sur la situation, sur les comportements liés à la crise afin de mieux comprendre la demande d'aide (« Que s'est-il passé? Est-ce que quelque chose vous inquiète? »);
- Rechercher les événements stressants et les facteurs déclencheurs;
- Explorer le potentiel de dangerosité de la personne autant envers elle-même qu'envers autrui (A-t-elle des idées suicidaires? En veut-elle à quelqu'un? A-t-elle déjà posé des gestes violents?);
- Porter attention aux indices suivants : Comment la personne vit-elle ses émotions? Comment les exprime-t-elle? Ses idées sont-elles cohérentes? Comment est-elle située dans l'espace et dans le temps? Comment répond-elle à ses besoins de base (manger, dormir, hygiène corporelle)?
- Faire un portrait du réseau social de la personne. Le réseau social est composé des personnes suivantes: les proches, les parents, les amis, les collègues de travail, les membres d'organismes communautaires, etc.

À cette étape, l'intervenant tente d'obtenir le plus d'informations possible sur les événements récents qui ont pu donner naissance à la situation de crise actuelle. Il doit également poser des questions sur les comportements de Nathalie et sur ce qui a pu les provoquer. La connaissance du réseau social de Nathalie et de celui de sa mère est également importante afin de savoir sur qui compter pour trouver une solution à la crise.

JEAN – Madame, d'après vous, qu'est-ce qui a pu amener Nathalie à se comporter comme elle l'a fait au retour de l'école?

MÈRE – Je ne le sais pas! Je ne l'ai jamais vue comme ça, dans un tel état! Elle me fait peur! Je ne sais pas quoi lui dire, comment l'approcher. Je ne pourrai pas rester seule avec elle cette nuit...

JEAN – Nous sommes lundi; est-il arrivé quelque chose de particulier pendant la journée ou pendant la fin de semaine?

MÈRE – Non, pas à ma connaissance... ou peut-être?... Son père était supposé venir la voir dimanche, et il n'est pas venu... C'est peut-être à cause de ça? Pourtant, elle n'a pas réagi lorsqu'il lui a téléphoné pour lui dire qu'il ne viendrait pas; elle est allée écouter de la musique dans sa chambre.

JEAN – Nathalie, que penses-tu de ce que ta mère vient de dire?

(*Aucune réaction de la part de Nathalie.*)

MÈRE – Vous voyez, elle ne répond pas. Elle a peut-être pris de la drogue? Moi, je n'en peux plus! Je vais aller prendre l'air sur le balcon...

Au moment où la mère se lève, Nathalie bondit et se dirige vers la porte pour empêcher sa mère de sortir. Madame se rassoit et se met à trembler.

JEAN – Nathalie, reviens t'asseoir et laisse ta mère aller dehors.

NATHALIE – Il n'en est pas question! Elle ne sortira pas! Elle ne me laissera pas encore toute seule!

JEAN – Nathalie, ta mère ne te laissera pas toute seule; elle ne s'en va pas. Viens t'asseoir. Madame, vous pouvez aller sur le balcon.

Nathalie obéit à la demande de Jean. Madame se retire quelques minutes. À son retour, Nathalie est assise sur le divan, en face de l'intervenant.

JEAN – Nathalie, ta mère m'a dit, il y a quelques minutes, qu'elle avait peur de rester avec toi cette nuit. Qu'en penses-tu?

NATHALIE – Je ne veux pas qu'elle s'en aille. Je ne veux pas rester toute seule.

JEAN – Nous ne te laisserons pas toute seule. Cependant, il va falloir tenir compte du fait que ta mère ne veut pas rester seule avec toi.

À la fin de la 2e étape, l'intervenant doit avoir réussi à bien cerner le problème immédiat et être prêt à s'engager sur des voies de solutions. Dans le cas présent, le problème immédiat est le suivant : la mère a peur des réactions de sa fille et elle ne veut pas passer la nuit seule avec elle; de son côté, Nathalie est mineure et il n'est pas question que l'intervenant la laisse seule à la maison.

3) Utilisation de la technique d'autorésolution des problèmes

Cette technique de résolution de problèmes comporte les étapes suivantes :

- Spécification du problème : normalement, le ou les problèmes présents sont bien cernés à l'étape de l'évaluation;
- Inventaire des solutions à chacun des problèmes;
- Évaluation de chacune des solutions;
- Prise de décision.

JEAN – Madame, connaissez-vous quelqu'un parmi votre parenté ou vos amis qui pourrait venir passer la nuit avec vous?

MÈRE – À première vue, je ne vois personne. Ma famille vit à l'extérieur, assez loin d'ici et je n'ai pas d'amis dans les environs. Je viens de déménager, il y a quelques semaines à peine.

JEAN – Madame, si personne de votre entourage ne peut venir à votre rescousse, il va falloir chercher d'autres solutions pour vous rassurer, peut-être même envisager d'aller passer la nuit ailleurs. Dans votre communauté, il existe des maisons d'hébergement temporaire pour les jeunes; ces maisons peuvent les accueillir pour une nuit ou davantage...

NATHALIE – Il n'est pas question que je me sépare de ma mère. Je veux rester ici.

JEAN – Je ne veux pas te séparer de ta mère. Mais il va falloir trouver une solution pour cette nuit. Qu'est-ce que tu vois comme solution?

NATHALIE – Je ne veux pas aller dans un centre d'accueil... Je ne veux pas être placée... Je ne suis pas folle!

JEAN – Nous ne voulons pas te placer. Veux-tu que je te parle un peu de ces maisons? Il y en a une près d'ici. C'est une maison qui ressemble à la tienne... Si tu veux, nous pouvons téléphoner et tu pourras poser toutes les questions que tu as envie de poser...

Nathalie accepte la suggestion de l'intervenant. Par la suite, elle se montre ouverte à aller visiter la maison d'hébergement située près de chez elle, à condition que sa mère vienne avec eux.

Dans la démarche d'autorésolution, la personne en crise et son milieu sont directement impliqués; cette approche permet à la personne de prendre conscience de l'importance du ou des facteurs déclenchant la crise; d'évaluer sa capacité à prendre soin d'elle-même; de proposer des stratégies d'intervention pour résoudre sa propre crise; de mettre l'accent sur ses propres forces.

En utilisant cette technique, l'intervenant vise à impliquer Nathalie et sa mère dans la résolution du problème.

4) Élaboration d'un plan d'intervention

L'élaboration d'un plan d'intervention est effectuée en fonction de la personne et son milieu; cette façon de faire évite la prise en charge et favorise l'autonomie.

Le plan contient les éléments suivants :

- Des objectifs réalistes et atteignables à court terme;
- Des étapes précises pour atteindre chacun de ces objectifs;
- Des moyens concrets, des gestes à poser;
- Un échéancier précis.

L'objectif de l'intervention décrite vise à répondre à la demande de la mère tout en tenant compte des besoins de Nathalie. La mère a besoin d'être rassurée, d'être protégée contre les agissements de sa fille; Nathalie veut rester avec sa mère.

> *L'intervenant accompagne Nathalie et sa mère pour visiter la maison d'hébergement. À leur arrivée, un membre du personnel accueille Nathalie et sa mère et leur fait visiter les lieux. Pendant ce temps, Jean attend la suite des événements.*
>
> *À la fin de la visite, Nathalie se dit prête à rester pour la nuit.*

5) Fin de la relation

Même si l'intervention en situation de crise est généralement de courte durée, on voit apparaître une certaine forme d'attachement, de lien affectif qui peut être très fort : l'intervenant peut être vu comme une bouée de secours, un sauveur, et la dépendance de la personne en crise envers lui peut être intense.

La fin de la relation doit donc être bien préparée; il est important de souligner les progrès que la personne vient de faire en faisant le parallèle entre ses mécanismes d'adaptation passés, ceux qui n'ont pas fonctionné et les nouveaux mécanismes qu'elle est en train de développer; d'assurer une transition, un suivi avec une ou plusieurs autres personnes. Ces personnes peuvent être des intervenants professionnels, des membres de groupes d'entraide ou des proches. L'exercice 3.1 permettra de mettre la méthode d'intervention en pratique.

Jean s'assure que Nathalie et sa mère sont en sécurité et que la situation de crise est résorbée. Le lendemain, il reprend contact avec la maison d'hébergement et avec la mère pour avoir des nouvelles. Nathalie accepte de prolonger son séjour à la maison; elle y passera un mois. Pendant ce temps, les intervenants de la maison font en sorte que Nathalie et sa mère reçoivent de l'aide pour essayer de régler leurs difficultés relationnelles.

3.2 – LES COMPORTEMENTS VIOLENTS

L'agressivité est un sentiment humain normal; comme tout sentiment, il peut prendre différentes formes, différents modes d'expression. Un sentiment non exprimé ne disparaît pas pour autant; il reste en attente à l'intérieur d'une personne; il peut même y prendre de l'ampleur. Une personne qui « encaisse trop » finit par éclater; lorsqu'il y a éclatement, il y a aussi perte de contrôle.

Par « comportement violent », on entend des gestes ou des actes qui contiennent une dose d'agressivité démesurée par rapport à l'événement ou à la situation dans laquelle une personne se trouve. Les mécanismes habituels d'adaptation de la personne ne fonctionnent plus; cette dernière est dépassée par la situation et vit une perte de contrôle plus ou moins accentuée.

Une personne ne devient pas brusquement agressive; la violence s'installe graduellement. Voici quelques signes précurseurs auxquels il faut être attentif :

- Des changements dans les réactions habituelles de la personne; l'observation de ces changements suppose, bien sûr, une connaissance préalable de la personne;
- La personne se tord les mains, serre les dents, devient agitée, marche de long en large;
- La personne exige des réponses immédiates, avec un ton insistant;

EXERCICE 3.1 (*Corrigé annexe V*)

Appliquez la méthode d'intervention de crise en cinq étapes à la situation suivante.

La concierge d'un immeuble à logements téléphone au CLSC pour avoir de l'aide; elle explique qu'une dame qui habite l'immeuble sème la panique parmi les locataires. Elle ne dort plus depuis trois nuits, se promène dans les corridors, entre dans les appartements sans frapper, etc.

Il est deux heures. Vous vous rendez sur place. À votre arrivée, plusieurs locataires vous attendent dans l'entrée; la concierge vous accueille et vous oriente vers l'appartement de la dame.

La dame s'y trouve avec une amie; elle est habillée d'une robe de chambre. Vous vous approchez d'elle, mais elle refuse de vous parler. Son regard est fuyant; ses cheveux sont dépeignés. Une odeur d'urine se dégage de ses vêtements. Pour tenter de vous éviter, elle s'enferme dans la salle de bains.

En parlant avec l'amie de cette dame, vous apprenez qu'elle est âgée de 53 ans et que ce n'est pas la première fois qu'elle a ce genre de comportements. Elle a déjà fait quelques séjours au département de psychiatrie d'un hôpital. Au bout de quelques minutes, la dame sort de la salle de bains et entre dans sa chambre. Vous essayez de garder le contact avec elle. Vous apprenez qu'elle a un ami intime qui habite l'immeuble et qui est disponible.

En répondant aux questions suivantes, vous serez en mesure de franchir les étapes de la méthode proposée.

1) Quels éléments d'évaluation possédez-vous?

____

____

____

____

(*Suite au verso*)

EXERCICE 3.1 (*Suite*)

2) Quel est le problème à résoudre?

3) Quelles sont les pistes de solutions possible?

4) Comment pouvez-vous impliquer les personnes en cause?

5) Quelle est la meilleure décision à prendre?

6) Comment allez-vous mettre en application cette décision?

7) Comment se termine votre intervention?

- La personne vous adresse des insultes et attaque votre réputation;
- Sa voix devient plus forte et elle crie des obscénités;
- Sa capacité d'attention est de plus en plus brève; elle donne l'impression de ne plus vous entendre.

Tactiques pour prévenir la violence

Il est possible d'éviter l'éclatement et d'aider une personne à exprimer son agressivité. Voici quelques suggestions pour y parvenir :

- Inviter la personne à dire ce qui la rend de mauvaise humeur, en lui reflétant son sentiment : « Vous êtes de mauvaise humeur... Vous êtes fâchée... »;
- Se concentrer sur le problème immédiat, sur ce qui a pu rendre la personne agressive;
- Mettre la personne en contact avec quelqu'un en qui elle a confiance (un proche, un ami);
- Ne pas prendre pour soi les insultes et les injures; habituellement, l'intervenant n'est pas la cible directe de l'agressivité de la personne, mais il lui sert plutôt de prétexte pour se défouler;
- Éviter les postures qui peuvent sembler provocatrices; par exemple, ne pas se tenir debout devant la personne, les bras croisés, la tête relevée;
- Garder le contact visuel; un coup d'œil jeté ailleurs pourrait être interprété comme une menace et augmenter la méfiance de la personne;
- Garder une distance raisonnable pouvant assurer votre sécurité et aussi respecter les limites de la personne (distance personnelle).

Que faire si la violence éclate?

- Demander de l'aide (police, agents de sécurité, collègues);

- Placer les autres personnes hors de danger;
- Ne pas se laisser coincer; garder une issue pour fuir, si nécessaire;
- Conserver le contact verbal; ne pas élever la voix et éviter les menaces;
- Pour immobiliser la personne (si nécessaire, avant l'arrivée de renfort), faire appel à autant de personnes que possible : une pour chaque membre et deux pour le corps (donc, six personnes);
- Ne pas faire de promesses, de contrats, que vous ne pourrez pas tenir; ne pas garantir l'immunité vis-à-vis de la police, etc.

Il est important de se rappeler aussi que l'alcool, les drogues et certaines maladies mentales peuvent déclencher ou accentuer les comportements violents. S'il y a présence d'un de ces catalyseurs, le jugement de la personne peut être altéré et son contact avec la réalité déformé; l'intervention devient alors plus difficile et exige la présence de spécialistes dans le domaine.

3.3 – L'ÉTAT MENTAL FRAGILE

Il est important tout d'abord de préciser ce qu'on entend par « état mental fragile » : il s'agit d'une fragilité temporaire; on peut la retrouver chez une personne dont la santé mentale est menacée en raison d'un ou de plusieurs événements stressants. Les personnes aux prises avec un trouble mental sévère et persistant sont donc exclues (ex. : la schizophrénie).

Les principaux indices d'un état mental fragile sont les suivants :

AU NIVEAU DE LA PENSÉE :

- idées incohérentes;
- manque de suite dans les idées;
- coq-à-l'âne;
- pensée magique;
- etc.

AU NIVEAU DES ÉMOTIONS :

- émotions labiles;
- sautes d'humeur;
- suite d'émotions contraires (joie, peine);
- etc.

AU NIVEAU DES BESOINS DE BASE :

- relâchement de l'hygiène;
- sommeil perturbé;
- changements dans les habitudes alimentaires;
- etc.

AU NIVEAU DES RELATIONS INTERPERSONNELLES :

- instabilité;
- ruptures;
- méfiance;
- etc.

Dans certains cas, on peut observer l'apparition de thèmes délirants et même d'hallucinations; ces phénomènes, qui ressemblent à ceux de troubles mentaux, ne sont que temporaires et sporadiques. Voyons un exemple de cas où on peut supposer la présence d'un état mental fragile.

Un homme, du début de la soixantaine, vit seul depuis le décès de sa femme, il y a deux ans. Jadis très actif, amateur de sports et très sociable, il s'est retiré graduellement de ces champs d'activité et côtoie maintenant très peu de gens. Il est à la retraite depuis un an et cette nouvelle situation a également contribué à modifier son rythme de vie.

Depuis quelque temps, il est convaincu que des personnes entrent chez lui, en son absence; il en a pour preuves des objets qui sont déplacés; il constate cela lorsqu'il revient chez lui. La porte de son appartement est verrouillée à triple tour : trois serrures sont fixées l'une par-dessus l'autre. Malgré cela, des gens font encore intrusion dans son logement selon lui.

Il pense que ce sont probablement des membres d'une grosse organisation qui lui veulent du mal. Il y a quelques mois, alors qu'il se dirigeait dans sa roulotte vers la Floride, des objets y ont également été déplacés; il a pris peur et est revenu chez lui.

Ses appréhensions sont-elles fondées? Faut-il croire tout ce qu'il raconte? La grosse organisation est-elle une pure invention de sa part? Comment se fait-il qu'il n'y a aucune marque d'infraction? Qu'est-ce qui peut l'inciter à s'imaginer tout cela?

Comment aider une personne vivant ce genre de difficulté?

En principe, il faut croire que cette réalité existe pour lui, qu'elle soit fondée ou non; ce peut être une réalité qu'il a inventée, mais, une fois le scénario en place, il y croit et réagit en fonction de lui. Pour aider cet homme, il est important de reconnaître sa nouvelle réalité, sans toutefois l'alimenter; de poser des questions pour savoir comment il la vit, de quoi elle est composée : « Quels sont les objets qui sont déplacés? Est-ce que ce phénomène existe depuis longtemps? »

Même si on est persuadé que ses réponses n'ont aucun fondement, elles peuvent mettre sur la piste de ses réelles préoccupations et aider à créer graduellement un climat de confiance.

Cette forme de fabulation a une source qu'il faut chercher à trouver. Elle peut être générée par une situation ou un événement réel à partir duquel l'imagination, prenant la relève, a construit une nouvelle réalité, des réponses ou des explications, un discours.

Cet homme raconte qu'il vit de plus en plus isolé depuis le décès de sa femme; cette perte a été marquante pour lui : ils faisaient beaucoup d'activités ensemble; ils étaient très unis. N'ayant pas d'enfants, son réseau social se limitait à son épouse et à quelques contacts avec de proches parents. Depuis un an, avec le début de la retraite, son isolement social s'est accentué : il rencontre maintenant très peu de gens et souffre beaucoup de solitude. Depuis qu'il craint la venue de gens chez lui, il ne sort presque plus, même pas pour faire son épicerie. Il demande de l'aide pour faire face à ce phénomène de plus en plus envahissant.

Les différentes formes d'aide qu'on peut lui apporter sont les suivantes :

- Se centrer sur son vécu, faire preuve d'empathie à son égard; cela exige de reconnaître l'existence de la grosse organisation et de son impact sur sa vie (« Nous allons vous aider à vous défendre contre cette organisation qui vous menace... »). L'homme trouve alors un allié, quelqu'un qui croit en ses appréhensions, quelqu'un qui le rassure;

- Le fait d'être rassuré, de se sentir plus en sécurité amène chez lui petit à petit la décroissance de la fabulation. En effet, l'insécurité donne souvent naissance à ce genre de fabulation. Il suffit de penser à des moments où nous avons peur et où notre imagination invente facilement des bruits, des scénarios pour tenter d'expliquer notre peur, pour lui donner un fondement;

- Avec la décroissance de l'insécurité, le discours de l'homme devient plus réaliste : si les objets ne sont plus déplacés, c'est donc que les membres de la grosse organisation sont en train de battre en retraite. Puis, en se centrant sur ses intérêts et ses besoins, en découvrant ses forces et ses talents, cet homme en viendra à oublier jusqu'à l'existence même des difficultés qu'il a traversées.

3.4 – LES PERSONNES AYANT UNE CAPACITÉ LIMITÉE DE COMPRÉHENSION

Le processus d'aide présenté jusqu'à maintenant implique qu'une personne qui demande de l'aide soit en mesure de faire preuve d'introspection et d'une bonne capacité de raisonnement. Ainsi, pour franchir l'étape 5 du processus (Reconnaître et accepter son besoin), une personne doit être en mesure d'exercer une réflexion sur elle-même, de se remettre en question et d'établir des liens entre ses difficultés et différentes possibilités de les résoudre.

Or, certaines personnes ne possèdent pas ces qualités ou encore ont perdu une partie de leurs capacités en raison d'un handicap, d'une maladie ou d'un accident. Pensons aux personnes ayant une déficience intellectuelle, à celles souffrant de la maladie d'Alzheimer ou aux enfants autistes.

LES PERSONNES AYANT UNE DÉFICIENCE INTELLECTUELLE

Une personne ayant une déficience intellectuelle moyenne ou sévère sera presque dans l'impossibilité de faire preuve d'introspection, de réfléchir sur elle-même. Ses besoins sont comblés de façon plus rigide, stéréotypée; le changement l'insécurise et ses capacités d'adaptation sont plus limitées. Son affectivité est souvent plus à fleur de peau; son contrôle émotionnel est plus faible.

On dit souvent des personnes ayant une déficience intellectuelle qu'elles sont plus émotives et qu'elles expriment de grands besoins d'affection; de ce fait, elles créent des liens affectifs très forts et sont aussi très attachantes. La création du lien de confiance prend alors toute son importance et toute sa force.

Ces personnes ont les mêmes besoins (voir la pyramide de Maslow, **Figure 1.2**) que tout le monde et il est essentiel de les reconnaître et de les respecter; elles possèdent cependant des façons différentes d'y répondre, en raison de leurs capacités et de leurs limites.

En relation d'aide, l'approche de la personne aidante devra se faire plus directive, plus encadrante, justement pour correspondre au plus grand besoin de sécurité de ces personnes. L'éventail des réponses à un problème pourra être plus restreint et l'apport de la personne aidante plus actif (suggérer des solutions, par exemple).

Certaines techniques béhavioristes cadrent bien avec les besoins de ces personnes : elles apprennent beaucoup par imitation, et la présentation de modèles à imiter (comportements) est une approche réaliste et efficace; les renforcements concrets, matériels (nourriture, jeu) viennent encourager leur motivation et ainsi accroître la force de leur apprentissage.

Les personnes atteintes de la maladie d'Alzheimer

La maladie d'Alzheimer touche particulièrement les personnes âgées de plus de 65 ans; cette maladie détruit graduellement des neurones et des terminaisons nerveuses. Petit à petit, les personnes qui en sont atteintes ont des pertes de mémoire, deviennent confuses; leur capacité de jugement s'altère et elles perdent le contrôle sur leurs activités quotidiennes habituelles.

Le défi majeur pour aider ces personnes réside d'abord dans le fait qu'elles n'acceptent pas ou ne reconnaissent pas les difficultés qui font leur apparition; elles vont alors chercher toutes sortes de prétextes pour camoufler ou tenter d'expliquer leurs oublis. Les amener à reconnaître et à accepter qu'elles perdent des capacités exige beaucoup de temps et d'énergie; la mise en place de mesures de protection s'avère nécessaire lorsque leur capacité de juger devient trop diminuée et qu'elles risquent de mettre en péril leur vie et celle de leurs proches.

Les enfants atteints d'autisme

L'autisme est une forme de repli sur soi qui apparaît dès les premières années de la vie. Les enfants qui en sont atteints ne parlent habituellement pas et communiquent très peu avec leur entourage. Ils développent des formes de maniérismes, sortes de gestes stéréotypés qu'ils répètent continuellement. Ils ont besoin d'un environnement statique, dont les limites restent inchangées, immobiles. Ils réagissent très fortement au moindre changement dans cet environnement par des crises d'agressivité, de la panique, etc.

La relation d'aide avec ces enfants présente de nombreux écueils, le premier étant la relation elle-même : créer un lien devient tout un défi avec ces enfants qui refusent de prime abord tout contact avec un autre humain, surtout avec une personne inconnue. Que se passe-t-il dans leur monde? Que représente exactement les gestes qu'ils répètent sans cesse? À quel besoin répondent-ils? Il est bien difficile, voire impossible de trouver des réponses à ces questions. Réponses qui seraient si utiles. En effet, le problème majeur rencontré avec ces enfants n'est pas comme telle leur capacité limitée de compréhension, mais plutôt notre incapacité à entrer en communication avec eux afin de savoir ce qui les intéresse, quels sont leurs réels besoins, comment ils apprennent.

En respectant leur besoin d'avoir un environnement inchangé ou du moins qui change très lentement, en se centrant davantage sur leur mode de communication non verbal (gestes, mimiques), en leur parlant même s'ils ne nous répondent pas, il est possible, avec beaucoup de patience, de développer avec eux un lien affectif durable au travers duquel ils pourront s'épanouir.

Annexes

Annexe I

Encadrement légal

La loi 120

La loi 120 (*Loi sur les services de santé et les services sociaux*) régit le travail de tous les intervenants de ce secteur; elle précise également les droits des personnes qui doivent être respectés lors de la prestation de services.

La loi 65

La loi 65 (*Loi sur la protection des renseignements personnels*) précise, entre autres, dans quelles conditions doit s'exercer la confidentialité et la gestion des dossiers portant sur des individus.

Des lois particulières selon les clientèles

Certaines lois concernent des clientèles spécifiques : ainsi, la *Loi sur les jeunes contrevenants* donne des balises aux intervenants œuvrant dans des centres d'accueil pour jeunes ayant commis des délits. La loi 39 (*Loi sur la protection des personnes dont l'état mental présente un danger pour elles-mêmes ou pour autrui*) précise la notion de dangerosité et établit les conditions dans lesquelles doit s'opérer un placement en cure fermée. La *Loi sur le Curateur public* concerne toutes les personnes qui sont devenues inaptes à s'occuper d'elles-mêmes ou de leurs biens et qui ont besoin d'un régime de protection.

Annexe II

Démarche pour connaître ses émotions et ses sentiments

ÉTAPES DE LA DÉMARCHE PROPOSÉE

1) Nommer les émotions et les sentiments
2) Spécifier leurs manifestations (physiques, physiologiques)
3) Trouver ce qui leur donne naissance (sources)
4) Décrire leurs modes d'expression habituels
5) Expérimenter de nouveaux modes d'expression
6) Spécifier les émotions et les sentiments difficiles à exprimer et trouver les sources de ces difficultés

ÉTAPE 1 - NOMMER LES ÉMOTIONS ET LES SENTIMENTS

Les émotions et les sentiments sont deux réalités affectives complémentaires; pour apprendre à les reconnaître, nous allons d'abord les distinguer.

Les émotions et les sentiments peuvent prendre des formes très variées; apprendre à les reconnaître peut aider à mieux les vivre et à les maîtriser. L'exercice I vous aidera à nommer vos émotions et vos sentiments.

Une émotion est une forme d'excitation, généralement de courte durée, qui s'accompagne de réactions physiologiques. Ces effets disparaissent habituellement avec la fin de la stimulation qui a provoqué l'excitation.

> *Je suis dans la forêt, seul, le soir. J'entends le cri d'un animal, au loin. Je ressens une forte peur. Mon rythme cardiaque s'accélère, j'ai des bouffées de chaleur; je me mets à courir en direction du chalet. De nouveau en sécurité, je retrouve le calme; je n'ai plus peur.*

Je me sens amoureux de ma blonde; cela dure depuis plusieurs années. À certains moments, lorsque je suis seul et que je pense à elle, je me sens heureux; je me sens tout chaud en dedans. En sa présence, je me sens calme et détendu.

Un sentiment est un état affectif qui dure dans le temps : des heures, des jours, des années. Tout au long de son existence, il peut être jalonné d'émotions qui apparaissent et disparaissent. Un sentiment est habituellement associé à un objet, une personne ou une situation précises, laquelle contribue à l'entretenir, à le garder en vie.

EXERCICE I

1) En vous servant du tableau I, nommez l'émotion ou le sentiment qui vous habite présentement.

____

____

2) En vous servant du même tableau, énumérez les émotions et les sentiments que vous vivez habituellement.

____

____

____

____

____

____

Tableau I

Liste des émotions et des sentiments les plus souvent nommés[1]

joie	culpabilité	détresse	honte
tristesse	anxiété	fatigue	incertitude
peur	gêne	satisfaction	impuissance
colère	jalousie	doute	amour
	haine	frustration	

[1] Voir aussi l'ouvrage de Sylvie GRISÉ et de Daniel TROTTIER. *Les Émotions au cœur de l'action*, Rimouski, Presses Pédagogiques de l'Est, 1995, p. 31.

TAPE 2 - SPÉCIFIER LES MANIFESTATIONS HYSIQUES ET PHYSIOLOGIQUES

Notre corps réagit à la présence d'une émotion ou d'un sentiment. Apprendre à reconnaître ces réactions peut nous aider à mieux vivre avec nos états affectifs.

Les réactions physiques et physiologiques peuvent être :

- Augmentation du rythme cardiaque;
- Respiration ralentie ou accentuée;
- Bouffées de chaleur;
- Mains moites ou froides (pieds également);
- Contractions ou raideurs musculaires;
- Étourdissements, évanouissements;
- Nausées, vomissements;
- Maux de tête;
- Troubles du sommeil, de l'appétit.

EXERCICE II

Spécifiez la ou les manifestations physiques ou physiologiques des émotions que vous ressentez habituellement (référez-vous à l'exercice précédent).

- Première émotion :

___

___

___

- Deuxième émotion :

___

___

___

- Etc.

ÉTAPE 3 - TROUVER LA SOURCE DES ÉMOTIONS ET DES SENTIMENTS

Les émotions et les sentiments sont générés par des sources multiples; ces sources sont soit externes, c'est-à-dire situées à l'extérieur d'une personne, soit internes, c'est-à-dire en provenance de l'intérieur du corps ou de l'esprit.

Les sources externes

Les événements ou les objets situés dans l'environnement d'une personne stimulent ses sens; ces stimulations donnent habituellement naissance à des émotions variées: la vue du sang peut provoquer la peur ou le dégoût, entendre une musique douce génère une sensation de détente, sentir de la fumée dans une pièce peut faire apparaître de la peur, de l'inquiétude, etc.

Les sources internes

Les changements physiologiques à l'intérieur du corps donnent naissance à des émotions: une douleur en provenance d'un organe interne peut provoquer de l'inquiétude; une forte sensation de faim génère de l'inconfort.

Nos perceptions sont une source importante d'émotions: la perte d'un être cher, vécue de façon très dramatique, peut donner

EXERCICE III

Recherchez la ou les sources qui donnent habituellement naissance aux principales émotions que vous vivez (référez-vous aux exercices précédents).

- **Première émotion**:

___

___

___

- **Deuxième émotion**:

___

___

naissance à un fort sentiment de tristesse et même à une forme de dépression.

L'imagination est également une source importante d'émotions : penser à des vacances sur une plage ensoleillée procure une sensation de bien-être, rend joyeux.

TAPE 4 - DÉCRIRE LES PRINCIPAUX ODES D'EXPRESSION ÉMOTIONNELLE

Une émotion peut être ressentie sans être exprimée, sans transparaître à l'extérieur de soi. Il peut s'agir d'un choix que fait une personne. Cependant, si elle décide de l'exprimer, de la manifester, la personne peut choisir parmi plusieurs modes différents.

L'expression verbale

Plusieurs mots peuvent traduire une même émotion. Ainsi, la joie peut être appelée gaieté, bonheur, plaisir, extase, contentement, etc. Ces mots renvoient habituellement à des couleurs ou à des intensités émotives différentes.

L'expression non verbale

Ce mode d'expression est plus diversifié et plus riche que le mode verbal; il est aussi plus difficile à maîtriser. Les gestes, les mimiques faciales, les postures, le ton de la voix, etc., sont toutes des variantes de l'expression non verbale. L'écriture, la peinture, le dessin, la danse, etc., peuvent également servir à faire passer des émotions et des sentiments.

Il existe de multiples façons non verbales d'exprimer une même émotion. Cependant, certaines façons sont plus acceptées que d'autres et considérées comme plus habituelles, dans une culture donnée. Voici quelques exemples d'expressions non verbales.

- *Exprimer la joie en sautant, en riant, en pleurant, en souriant, etc.*
- *Exprimer la colère en criant, en montrant les poings, en frappant, etc.*
- *Exprimer la tristesse en pleurant, en s'isolant, en baissant la tête, etc.*
- *Exprimer la peur en fuyant, en se raidissant, en tremblant, etc.*

EXERCICE IV

Décrivez les modes d'expression que vous utilisez habituellement pour chacune des quatre émotions suivantes :

1) Joie

____

____

2) Colère

____

____

3) Tristesse

____

____

4) Peur

____

____

ÉTAPE 5 - EXPÉRIMENTER DE NOUVEAUX MODES D'EXPRESSION

L'expérimentation de nouveaux modes d'expression émotionnelle peut amener une personne à vivre plus pleinement sa vie émotionnelle et aussi à mieux comprendre quelqu'un qui utilise ces modes d'expression de façon régulière.

ÉTAPE 6 - SPÉCIFIER LES ÉMOTIONS ET LES SENTIMENTS DIFFICILES À EXPRIMER

Certaines émotions et certains sentiments peuvent rester bloqués, emprisonnés à l'intérieur de soi et procurer un malaise, peut-être même un mal de vivre. Souvent, ces émotions et sentiments sont mal acceptés, comme s'ils ne devaient pas exister. Tenter de les nier, de les étouffer ne les fait pas disparaître pour autant; ils ne demandent qu'à être libérés.

EXERCICE V

Pour chacune des quatre émotions suivantes : joie, colère, tristesse et peur, essayez des modes d'expression nouveaux; faites-en l'expérience dans des situations de votre vie quotidienne et notez les impressions nouvelles que ces modes vous apportent.

1) Joie

2) Colère

3) Tristesse

4) Peur

EXERCICE VI

1) Recherchez les émotions et sentiments que vous exprimez difficilement :

2) Prenez le temps de bien définir les raisons de ces difficultés et faites-en part à une personne en qui vous avez pleine confiance. Le fait de vous confier fera probablement remonter à la surface l'émotion qui est restée bloquée; ce phénomène est tout à fait normal, même s'il fait peur lorsqu'il se manifeste.

Annexe III

Modèle d'autoportrait

1) **Identification**

- Nom;
- Sexe;
- Âge;
- Lieu de résidence;
- État civil;
- Sources de revenus;
- Niveau de scolarité.

2) **Autonomie de base**

- Autonomie fonctionnelle (alimentation, habillement, hygiène corporelle);
- Autonomie dans les activités de la vie quotidienne (tâches domestiques, déplacements, tenue d'un budget).

3) **Caractéristiques physiques et sensorielles**

- Description physique (taille, poids, handicaps);
- État de fonctionnement des organes sensoriels (vue, ouïe);
- Bilan de santé.

4) Caractéristiques psychomotrices

- Latéralité;
- Coordination visuomotrice;
- Préhension;
- Situation dans le temps et dans l'espace;
- État du langage (articulation, débit, ton, troubles particuliers : bégaiement, aphasie).

5) Caractéristiques intellectuelles et cognitives

- Cheminement scolaire;
- Niveau de développement intellectuel (âge mental, Q.I.);
- Capacité d'attention;
- Capacité de concentration;
- Capacité d'abstraction (symbolisation, utilisation de concepts);
- Capacité de mémorisation;
- Imagination, créativité;
- Façons d'apprendre (imitation, essais et erreurs, généralisation);
- Comportements en situation d'apprentissage;
- Motivation, intérêt;
- Langage (niveau de compréhension).

6) Caractéristiques socioaffectives

- Antécédents familiaux et sociaux (relations à l'intérieur de la famille, fratrie, groupes d'appartenance, violence, inceste);
- Niveau de développement affectif (degré d'autonomie, dépendance);
- Façons d'entrer en relation (approche, contact, confiance);

- Types de relations actuelles (amicales, familiales, professionnelles);
- Modes d'expression des sentiments et des émotions;
- Etc.

7) Caractéristiques morales et spirituelles

- Valeurs et croyances;
- Appartenance à des groupes religieux;
- Degré de réalisation de soi (projets en cours ou en gestation, rêves).

8) Synthèse des forces et des besoins

Principaux points forts: autonomie de base, physiques, psychomoteurs, intellectuels et cognitifs, socioaffectifs, moraux et spirituels. Voyons des exemples.

- Sur le plan physique: force musculaire, bon état de santé, etc.
- Sur le plan intellectuel: bonne capacité d'attention, etc.
- Sur le plan socioaffectif: facilité de contact avec d'autres, etc.

Principaux besoins: ces besoins peuvent se situer à n'importe quel niveau de fonctionnement (physique, affectif), ils sont définis en se basant sur les lacunes observées dans les différents éléments de l'autoportrait. Prenons des exemples.

- Autonomie de base: besoin d'apprendre à cuisiner, etc.
- Plans moral et spirituel: besoin d'avoir un projet de vie, etc.

Annexe IV

L'organisation d'un jeu de rôles (simulation)

Le jeu de rôles est un moyen utilisé pour visualiser une situation et permettre aux personnes en formation de faire des essais, d'expérimenter des modes d'intervention, de tester des attitudes.

Plusieurs conditions sont importantes à respecter pour qu'un jeu de rôles soit efficace :

1) le choix du sujet ou du thème

2) la présentation du contexte

3) la définition des rôles

4) la forme d'animation

5) l'implication attendue des personnes en formation

LE CHOIX DU THÈME

Le thème doit être en lien direct avec l'aspect de la relation d'aide abordé; il peut s'agir d'une attitude (empathie, respect, authenticité), d'une habileté (favoriser l'expression des sentiments), d'une technique (la reformulation).

Le choix de la situation servant de base au thème peut se faire de plusieurs façons; en voici quelques exemples :

- Le formateur peut proposer des exemples de situations qu'il connaît, dans lesquelles il est déjà intervenu.

- Les personnes en formation peuvent être mises à contribution : elles sont appelées à apporter des exemples de situations de leur vie quotidienne ou de leur stage dans lesquelles elles sont déjà venues en aide à quelqu'un.
- Un enregistrement sur vidéocassette peut également servir de base pour démarrer un jeu de rôles.

La présentation du contexte

Le contexte est constitué d'un ensemble d'éléments qui définissent la situation choisie : il peut s'agir du lieu où se déroule l'événement (CLSC, centre d'accueil, dans la rue), des personnes en présence, du moment de la journée, etc. Il importe de présenter les grandes lignes de ce contexte pour faciliter le choix des rôles et leur description.

La définition des rôles

De façon générale, il y a autant de rôles à définir qu'il y a de personnes impliquées dans la situation choisie. Il est préférable de commencer avec des situations qui n'impliquent que deux personnes : une personne présentant une difficulté et une personne aidante.

Le rôle de la personne en difficulté peut être présenté en tenant compte surtout des éléments suivants : son sexe, son âge, quelques caractéristiques personnelles et la difficulté en cause.

La définition du rôle de la personne aidante peut se limiter aux éléments suivants : son titre (éducatrice spécialisée) et la place qu'elle est appelée à occuper auprès de la personne en difficulté.

La forme d'animation

Le professeur peut être impliqué dans un des rôles, surtout s'il choisit la situation; il sert alors de modèle aux personnes en formation. Sa tâche d'animateur est alors doublée de celle de participant. Pour rendre le jeu de rôles davantage efficace, il peut en interrompre le déroulement à n'importe quel moment, lorsqu'il juge opportun de souligner un élément de la situation.

Les rôles peuvent être distribués parmi les personnes en formation seulement. Cette approche est plus difficile à mettre en place, en raison des réticences exprimées : les personnes ont peur d'être jugées, de faire des erreurs. Une fois qu'elles ont compris et accepté qu'il s'agit d'un contexte d'apprentissage, elles acceptent plus facilement de s'y impliquer.

'IMPLICATION ATTENDUE DES ERSONNES EN FORMATION

Pour vraiment profiter d'un tel contexte d'apprentissage, les personnes en formation doivent accepter de s'impliquer : jouer des rôles amène une sensibilisation aux problèmes vécus par différentes personnes; c'est comme si on se mettait dans leur peau, à leur place. Il s'agit d'un contexte privilégié pour développer l'empathie.

En jouant le rôle d'une personne aidante, les futurs éducateurs et éducatrices apprennent les rudiments de leur métier et se heurtent aussi aux principaux obstacles de la relation d'aide. Voyons un exemple illustrant la réalisation d'un jeu de rôles étape par étape.

LE CHOIX D'UN THÈME

Aujourd'hui, nous allons aborder le thème de l'empathie. Le jeu de rôles servira à illustrer comment on peut arriver à écouter une autre personne et à comprendre comment elle perçoit la réalité et comment elle la vit.

LA PRÉSENTATION DU CONTEXTE

Pierre est éducateur; il travaille dans une centre hospitalier de soins de longue durée. Le matin, à son arrivée au travail, Pierre fait la tournée des chambres pour saluer chaque personne. Il remarque que Marcel n'a pas la même expression que d'habitude; à son salut, il réagit en tournant la tête et ne répond pas. Pierre s'informe auprès des autres membres du personnel et fait la lecture des notes inscrites au dossier de Marcel.

Il apprend que Marcel a très mal dormi la nuit passée, qu'il n'a pas voulu déjeuner et qu'il ne veut parler à personne. Comme Pierre est son éducateur de référence, il veut comprendre ce qui ne va pas chez Marcel, ce matin. Il se présente à sa chambre pour lui parler.

LA DÉFINITION DES RÔLES

Dans la situation choisie, deux rôles sont à définir : celui de la personne en difficulté et celui de l'éducateur.

LA PERSONNE EN DIFFICULTÉ : *Marcel, un homme âgé de 45 ans, médecin, cloué à son lit d'hôpital en raison d'une maladie incurable. À chaque jour, son épouse vient l'aider à s'alimenter, matin, midi et soir. Généralement, il est d'assez bonne humeur et conserve un bon moral. Ses contacts avec le personnel sont assez chaleureux.*

L'ÉDUCATEUR : *Pierre, âgé de 30 ans, travaille dans ce centre depuis 8 ans. Il est l'éducateur de référence de Marcel; c'est lui qui est responsable de son dossier et de son plan d'intervention.*

(*Suite au verso*)

LA FORME D'ANIMATION

Le professeur jouera le rôle de Marcel; c'est une personne qu'il a bien connue et qu'il a aidée. Un étudiant prendra le rôle de la personne aidante.

Le professeur explique au groupe le thème, le contexte, les rôles et le déroulement du jeu (animation et implication).

L'IMPLICATION DES PERSONNES EN FORMATION

Une des personnes en formation se porte volontaire pour jouer le rôle de Pierre ou est choisie par le professeur pour assumer ce rôle. Les autres sont invités à suivre le déroulement du jeu; à n'importe quel moment, ils peuvent avoir à remplacer la personne aidante ou à répondre à des questions posées par le professeur. Une grille d'observation peut également être mise à leur disposition.

Voici un extrait de l'échange intervenu entre Pierre et Marcel:

PIERRE – J'aimerais savoir ce qui se passe ce matin...

MARCEL – Laisse-moi tranquille... Je ne veux parler à personne!

PIERRE – Je te sens en colère... Veux-tu me dire ce qui t'a mis dans cet état?

MARCEL – Va-t-en! Je ne veux voir personne.

PIERRE – D'accord, je m'en vais; si tu as besoin de quelque chose, fais-moi signe.

(*Au milieu de l'avant-midi, Pierre apporte une collation à Marcel*).

MARCEL – Je le sais que je suis fini!

PIERRE – Tu penses vraiment cela?

MARCEL – Je le sais qu'il n'y a plus rien à faire avec moi; je ne vaux plus rien!

PIERRE – Je ne comprends pas quand tu dis que tu ne vaux plus rien.

MARCEL (*sur un ton agressif*) – C'est évident, il me semble. Ouvre-toi les yeux et regarde-moi...

(Pierre ne réagit pas; laisse passer un moment de silence)

MARCEL – Je suis un médecin cloué dans un lit d'hôpital; y a de quoi être fier!

PIERRE – C'est comme si tous tes rêves s'effondraient...

MARCEL – J'ai tant travaillé pour y arriver et c'est déjà fini... C'est pas juste!

PIERRE – Tu es fâché et triste en même temps...

Annexe V
Corrigé des exercices

EXERCICE 2.6 – Le respect

- **Situation 1**

« Tu me sembles bien déterminée! Est-ce bien le cas? »

Ce type de réponse ne remet pas en question la volonté de Sophie de se faire avorter, mais elle l'invite à en parler davantage; par le fait même, Sophie pourra poursuivre sa réflexion et ainsi envisager, peut-être, d'autres solutions possibles.

- **Situation 2**

« Tu trouves difficile que la société n'accepte pas ta pédophilie... »

Ce type de réponse remet Pierre en face d'une réalité; on reconnaît que cette réalité peut être frustrante pour lui, mais en même temps, on ne peut la nier.

- **Situation 3**

« Es-tu sûre de n'avoir aucun autre moyen pour gagner ta vie? En as-tu déjà essayé d'autres? »

Cette réponse est un peu confrontante : elle vise à faire réfléchir Annie sur ses possibilités, ses forces, sans s'attarder sur sa situation actuelle et sans la prendre en pitié.

EXERCICE 2.9 – L'authenticité

- **Situation 1**

« Je n'en ai pas l'intention, madame; cependant, je peux essayer de vous donner un coup de main, si vous le voulez bien. »

L'attitude de la mère est confrontante; il est plus difficile de rester soi-même et de ne pas se sentir attaquée en face d'un tel comportement. L'éducatrice donne sa position et reste disponible pour aider.

- **Situation 2**

« Je suis désolé, madame Dupont. J'aurais dû vous aviser de ce changement... »

Madame Dupont a raison d'être mécontente et je dois respecter sa réaction, sans me défendre. Si ma relation est bien établie avec elle, la confiance n'en sera nullement entachée.

- **Situation 3**

« Je ne sais pas ce que je ferais, si j'étais à votre place! Cependant, je me rends bien compte que cette situation est difficile pour vous... »

Tout en étant authentique, il est important, en relation d'aide, de recentrer l'échange sur la personne aidée à chaque fois que celle-ci tente, délibérément ou non, de nous renvoyer la balle.

EXERCICE 2.13 – Les aspects informatifs et affectifs d'un message

1) Aspects informatifs :

- « Je n'ai pas de bonnes notes »
- « Je fais mon possible »

2) Aspects affectifs :

- « Je suis préoccupée... »
- « Je ne sais pas ce qui va lui arriver... » (*pleurs*).

EXERCICE 2.16 – Le reflet et la reformulation

Reformulation : « Vous vous sentez dépassée par ce qui vous arrive et vous vous demandez si vous allez être assez forte pour tenir le coup. »

Reflet : « Vous avez peur de perdre pied... »

EXERCICE 2.17 – Le reflet et la reformulation

- **Reformulation** : « Vous vous sentez diminué en raison de votre paralysie et votre relation avec votre femme vous inquiète. »
- **Reflet** : « Vous ne vous sentez plus vraiment un homme. »

EXERCICE 2.18 – Le reflet et la reformulation

- **Reformulation** : « Vous voulez changer de psychiatre, mais votre demande n'est pas reçue et ça vous fâche... »
- **Reflet** : « Ça vous fâche d'avoir l'impression de ne pas être écoutée... »

EXERCICE 2.19 – Les niveaux de compréhension

- **Niveau 1**

« Vous aimeriez bien en connaître davantage au sujet de la dépression... »

- **Niveau 2**

« Vous êtes préoccupée par l'état de votre mère et vous vous demandez si ça peut changer, un jour... »

- **Niveau 3**

« Vous êtes inquiète de l'état dépressif de votre mère et il vous arrive peut-être de vous demander si ça peut vous arriver à vous aussi... »

EXERCICE 2.20 – Les types de questions

- **Question ouverte** : « Quelles sont les possibilités qui s'offrent à vous? »
- **Question fermée** : « Avez-vous une préférence? »

EXERCICE 2.24 – La confrontation

1) Objet de la confrontation

La confrontation pourrait porter sur les moyens que la personne a déjà essayés pour rencontrer quelqu'un, sur la pertinence de ces moyens et la persistance dans l'emploi de ces moyens, sur les résultats obtenus, etc.

2) Résistance de la personne

La résistance pourrait venir du défaitisme de la personne, de sa conviction qu'elle a tout essayé, du fait qu'elle se perçoit trop vieille ou pas intéressante, etc.

3) Comment l'aider?

En la confrontant sur les moyens qu'elle a déjà essayés, en lui faisant prendre conscience qu'il en existe d'autres, en faisant cette recherche avec elle, en l'amenant à tenir compte de ses intérêts, de ses goûts, etc.

EXERCICE 3.1 – **Intervention en situation de crise**

1) Éléments d'évaluation

L'évaluation porte sur les comportements liés à la crise, sur les facteurs déclencheurs de cette crise, sur le potentiel de dangerosité, l'état mental de la personne et son réseau social. Dans le cas présent, nous possédons les éléments suivants :

• La personne en état de crise sème la panique parmi les locataires de l'immeuble où elle habite : elle se promène dans les corridors, entre chez les gens sans frapper, etc.

• Elle ne dort pas depuis trois nuits, ne s'occupe pas de son hygiène corporelle (cheveux dépeignés, odeur d'urine); son regard est fuyant et elle refuse de se laisser approcher.

• Elle a déjà fait quelques séjours au département de psychiatrie d'un hôpital.

• Son réseau social, d'après les premières informations disponibles, est composé de deux personnes : une amie et un amoureux, qui tous deux habitent le même immeuble.

2) Problème à résoudre

En intervention de crise, on doit se centrer sur le problème immédiat, sur la raison qui a motivé la demande d'aide. Le problème à résoudre est donc lié aux comportements de la dame qui sème la panique; on doit trouver une ou des solutions pour faire cesser ces comportements.

3) Solutions possibles

Les comportements de la dame durent depuis plus de 72 heures; personne, dans l'immeuble, ne semble en mesure d'exercer un contrôle sur elle. De plus, elle refuse le contact et s'enferme dans une pièce de son appartement. Il faut donc envisager de l'emmener ailleurs, pour qu'elle reçoive de l'aide dans un milieu sécuritaire.

• L'hôpital est une solution; il faut savoir dans quel établissement elle a déjà reçu des soins.

• Un centre de crise est une autre solution; il faut s'informer pour savoir s'il en existe un à proximité et si ce centre peut recevoir des personnes dans un tel état de crise.

4) Implication des personnes en cause

Les personnes en cause, dans le cas présent, sont la dame elle-même et les deux membres de son réseau social. Dans cette méthode d'intervention, on cherche à impliquer les personnes concernées dans la prise de décision et dans l'intervention. On doit essayer d'obtenir le maximum de collaboration de la personne en crise, ce qui, dans le cas présent, n'est pas évident.

En impliquant les personnes du réseau, nos chances d'y arriver augmentent : l'amie peut fournir des informations importantes sur les hospitalisations antérieures et aider à gagner la confiance de la dame; l'amoureux peut également jouer ce rôle.

5) La meilleure décision, dans le cas présent

Il semble évident qu'il faille emmener la dame en crise hors de son lieu de vie, de préférence, dans un lieu connu d'elle. L'option retenue est de l'emmener à l'urgence de l'hôpital où elle a déjà reçu des soins.

6) Application de la décision

Dans ce type d'intervention, nous privilégions le fait de ne pas forcer une personne à recevoir des soins; il faut donc prendre le temps de la convaincre que la solution retenue est la meilleure pour elle, dans le cas présent. La présence des membres du réseau peut alors être d'un grand secours.

Il faut préparer la personne à s'engager dans la voie retenue, l'informer des gestes que nous allons poser, des moyens que nous allons prendre pour la conduire à l'hôpital.

7) Fin de l'intervention

L'intervention se termine lorsque la personne a été prise en charge par des intervenants de l'hôpital. On peut également aviser la concierge de l'immeuble, celle qui a fait la demande d'aide, des suites données à sa demande.

Index

Bibliographie

AGUILERA, Donna C. et Janice M. MESSICK. *Intervention en situation de crise*, Toronto, C.V Mosby Company, 1976, 168 p.

AUGER. Lucien. *Communication et épanouissement personnel, la relation d'aide*, Montréal, Éditions du C.I.M., 1972, 176 p.

AUGER, Lucien. *La Démarche émotivorationnelle en psychothérapie et en relation d'aide*, Montréal, Les Éditions de l'Homme, 1986, 266 p.

AUGER. Lucien. *S'aider soi-même*, Montréal, Les Éditions de l'Homme, 1974, 168 p.

CARKHUFF, Robert R. *L'Art d'aider*, Montréal, Les Éditions de l'homme, 1988, 269 p.

CHALIFOUR, Jacques. *Enseigner la relation d'aide*, Boucherville (Québec), Gaëtan Morin éditeur, 1993, 319 p.

CHAPLEAU, Jean. *Cris de détresse et chuchotements d'espoir*, Montréal, Éditions Sciences et Culture, 1995, 140 p.

EGAN, Gérard. *Communication dans la relation d'aide,* Montréal, Éditions H.R.W. Ltée, 1987, 420 p.

FORGET, Jocelyne. *La Relation d'aide*, Montréal, Éditions Logiques, 1990, 172 p.

FORTIN, Bruno. *Intervenir en santé mentale*, Montréal, Éditions Fides, 1997, 342 p.

FORTIN, Bruno. *Prendre soin de sa santé mentale*, Montréal, Éditions du Méridien, 1993, 156 p.

POULIOT, Jean-François et al. *Techniques d'éducation spécialisée : Rapport d'analyse de situation de travail*, ministère de l'Éducation, Direction générale de la formation professionnelle et technique, Québec, 1999, 55 p.

GRISÉ, Sylvie et Daniel TROTTIER. *Les Émotions au cœur de l'action*, Rimouski (Québec), Presses Pédagogiques de l'Est, 1995, 34 p.

HÉTU, Jean L. *La Relation d'aide : éléments de base et guide de perfectionnement*, Boucherville (Québec), Gaëtan Morin éditeur, 1994, 194 p.

LAZURE, Hélène. *Vivre la relation d'aide,* Ville Mont-Royal (Québec), Décarie éditeur inc., 1987, 192 p.

MASLOW, Abraham H. *Vers une psychologie de l'être,* Paris, Fayard, 1972, 269 p.

MYERS, Gail E. et Michèle T. MYERS. *Les Bases de la communication humaine,* Montréal, McGraw-Hill éditeurs, 1990, 475 p.

PAQUETTE, Claude. *Analyse de ses valeurs personnelles : s'analyser pour mieux décider,* Montréal, Éditions Québec-Amérique, 1982, 214 p.

ROGERS, Carl et Marian G. KINGET. *Psychothérapie et relations humaines,* Montréal, Institut de Recherches Psychologiques, 1966, 333 p.

SALOMÉ, Jacques et Sylvie GALLAND. *Si je m'écoutais, je m'entendrais,* Montréal, Les Éditions de l'Homme, 1990, 336 p.

TREMBLAY, Luc. *L'intervention en santé mentale : la personne d'abord,* Montréal, Éditions Saint-Martin, 1996, 260 p.

TREMBLAY, Monique. *L'Adaptation humaine,* Montréal, Éditions Saint-Martin, 1992, 400 p.

Table des matières générale

LISTE DES FIGURES

LISTE DES TABLEAUX

Liste des exercices

Québec, Canada
2006